JEAN RACINE.

Heath's Modern Language Series

RACINE'S

ANDROMAQUE

EDITED, WITH INTRODUCTION AND NOTES

BY

BENJAMIN W. WELLS

BOSTON, U. S. A.

D. C. HEATH & CO., PUBLISHERS

1908

INTRODUCTION

RACINE'S *Andromaque* has been, throughout the present century, by far the most popular of French classical tragedies; and in the two hundred and thirty years since its production *Phèdre* alone has counted more performances on the French stage. Therefore it demands attention for its intrinsic merits, but it claims the interest of the student also because it marks a turning-point in the development of French drama.

I. TRAINING AND CHARACTER OF RACINE.

The great fact that dominates Racine's intellectual and moral life is his relation to the group of protesting Jansenist Catholics who called themselves the Solitaries of Port-Royal, and counted among their number such master minds as Pascal, and among their sympathizers some of the choicest intellects of France as well as many men of humble birth but sturdy faith, the Puritan element that persisted within the established church of France, though not without persecution both from the hierarchy and the court.

It was in such a family of the upper middle class that Jean Racine was born (Dec. 22, 1639). His primary education was at a school at Beauvais that was affiliated with the Port-Royalists, and thence he passed, in 1655, to *l'École des Granges*, under their immediate direction. Here his teachers were the noted Greek scholar Lancelot, the Latinist Nicole, noted also as a moral philosopher, and other worthy though less distinguished men, the most skilled pedagogues of their time ; and the three years that he passed here left an in-effaceable mark not alone on his mind but on his character. He became a very exceptional classical scholar, had " read and annotated all the ancient classics from Homer to Plutarch and to St. Basil, from Terence to Sulpicius Severus." He could re-cite long passages from the Greek romances and declaimed to astonished friends the choruses of Sophocles, who remained, with Euripides, his model in dramatic art to the end. But be-side this he acquired what was as important for the work he was to do, a Puritanic tenacity of mind, the Puritan uprightness and reasoning devotion. Sentiments, whether spiritual or worldly, interested him primarily because they offered problems for the head to analyze. But another element soon entered into his education, an element that was to make him all his life " at strife with himself," as he said at its close. It was natural that a man of his qualities should find social success and seek intel-lectual recognition, and while he was pursuing these the world laid hold on him and drew him from Puritanism. Yet he never grew quite indifferent to these influences of his youth. Once and again he returned to the fold in which he was to die, and his grave bore the inscription " Poet, recluse of Port-Royal."

For the moment, however, on leaving his last school, the *Collège d'Harcourt* (1658), worldly influences prevailed. But from these vagaries he was brought back by his relatives rather sharply to the influences of Port-Royal and sent, in 1661, into a sort of exile in the South with prospects of clerical preferment. He remained there some fifteen months, storing his mind richly by diligent reading in the Christian Fathers as well as in the Greek, Latin and Italian poets and historians. In 1661 he seemed likely to degenerate to a wit. In 1663 he returned to Paris an accomplished scholar, though still dominated by social and poetic ambition. He was presented to the king and be-came a fashionable poet, much to the grief and indignation of his friends and relatives of Port-Royal ; for since 1664 Racine had been brought by La Fontaine and by his own genius into intimate relations with the court patrons of literature and with the classical realists whom it is customary to call the School of 1660, Chapelle, Furetière, Molière and, above all, Boileau, who united to preach a reasonable naturalism and formed in the already successful dramatist a new theory of dramatic art.

Meantime, however, he was undergoing experiences that tended to make his thought more tragically sombre. He was irritated by the attitude of his relatives at Port-Royal, and replied to their exhortations with growing acerbity. It was at this psychic crisis when the poet in Racine was wrestling with the Puritan, and had for the moment gained the upper hand in a struggle of conscience that was to last a lifetime, that *Andromaque* (1667) was written. He was then twenty-eight.

For *Andromaque* Racine received the modest remuneration of 100 *écus*, about $60 in silver. But it caused a sensation almost as deep as Corneille's *Cid*. It made him friends, but it roused bitter jealousies that pursued him through all his dramatic career. Into this it is foreign to the present purpose to enter, but it may be recalled that *Andromaque* was followed by Racine's only comedy *les Plaideurs* (1668), and this by *Britannicus* (1669). Then came *Bérénice* (1670), *Bajazet* (1672), *Mithridate* (1673), *Iphigénie* (1674), *Phèdre* (1677), *Esther* (1689), *Athalie* (1691). Racine died in 1699.

Among all Racine's tragedies the seventeenth century accorded the first place to *Phèdre* and the second to *Andromaque*. During the eighteenth century *Phèdre* still held the first place, with *Iphigénie* second and *Andromaque* third. For the nineteenth *Andromaque* is far in the lead of all, as can be shown by a tabulation of the play-bills of the Comédie Française.

An immediate result of the popularity of *Andromaque* in France was that it received the homage of a translation into English prose by Crown in 1675, and in 1712 Philipps adapted it to English taste in his *Distressed Mother*, a tragedy in verse that Richardson thought of sufficient importance to justify a lengthy criticism in his *Pamela* (1st ed., iv. pp. 66–88). The situation has been used in our century by the elder Dumas in *Charles VII. et ses grands vassaux* and, with more wit, by Musset in *les Marrons du feu*, where Orestes is the Abbé, Pyrrhus Raphaël, Hermione Camargo, but there is no second Andromache.

To one who examines in detail the life and letters of Racine he exhibits a puzzling duality, a serious soul and a mobile mind. He was not only religious, he was credulous, superstitious even. He was not only loyal to a king, he was his dupe.   He was exceedingly vain and irritable, timid and easily influenced by those whom he loved or feared.   The kind of moral goodness that he possessed was wholly consistent with moral weakness.   On the other hand his intellect was keen, supple and strong, he had almost unique powers of psychic analysis, a remarkable delicacy and vitality of sentiment and an exquisite sense of literary art. As he wrote all that was petty in him receded into the background.   The best that was in him is in his work, a rare combination, perhaps unique in modern times, of wit and sentiment, of energy and poise, of imagination and self-restraint, of eloquence and repose.

II. THE STORY OF ANDROMAQUE.

The tragedy of *Andromaque* brings together in Epirus four persons familiar to the classic poets and to their imitators in the renascence : Pyrrhus, the son of Achilles, known to Euripides as Neoptolemos ; and his beloved captive, Andromache, once the wife of the Trojan Hector ; Hermione, daughter of Helen and Menelaus ; and Orestes, the son of Agamemnon.   The relation of these persons is in Racine as it was in Homer, Euripides, Ovid, Virgil, and Seneca.

The situation in which he has placed them was, he says, suggested by Virgil's *Eneid*, III., 292–325, a passage that he has given in his preface, but the action, and to some extent the characters, are his own invention.

The first scene gives us the material and psychic situation of all parties to the tragedy. Orestes tells his refound friend, Pylades, at the court of Pyrrhus, that he has come to Epirus as ambassador of the Greek princes to demand the surrender of Hector's son, Astyanax, who, with his mother, Andromache, had fallen to the share of Pyrrhus after the sack of Troy, and, according to varying Greek traditions, had been killed long before, either by Ulysses, Menelaus or Pyrrhus himself. Orestes has sought this embassy because he loves Hermione, who has scorned him in Sparta, but now occupies a somewhat equivocal position in Epirus, having come thither as the betrothed of Pyrrhus, who is hesitating to marry her, because he loves Andromache—a situation of which Orestes hopes to take present advantage. For Pylades has observed that Hermione is vexed at the indifference of the king, who, Pylades thinks, will be able to force Andromache to accept his suit to save the life of her son. All this is involved with much art in a conversation of one hundred and forty-two lines, in which Orestes betrays also his intense love and passionate nature. Filled with new hope, he presents (I., 2) the demands of the Greeks to Pyrrhus in a way likely to provoke the haughty refusal he secretly desires. Indeed the king seems to coöperate with his plans, for he requests him to visit his relative Hermione (they were first cousins) before his departure (245), and seems haughtily to suggest that he would not be altogether displeased (254, 255) if Orestes took her with him, for he knows of Orestes' passion (250), and in conversation with his confidant, Phœnix, he confirms what Pylades had reported of his irritation at her presence (I., 3). Andromache now joins them, accompanied by her confidante, Céphise (I., 4), and Pyrrhus urges his suit with somewhat impetuous barbarity, telling her of the embassy of Orestes, assuring her that her possession alone will induce him to save Astyanax, and, after listening to her noble widow's lament and magnanimous counsel, bids her go visit her son, and in embracing him revise her resolution (384).

Thus ends the first and longest ct. If Hermione will follow Orestes and Andromache accept the hand of Pyrrhus, all will be well. Yes ; we feel that, with Hermione once away, Andromache could maintain her moral supremacy over Pyrrhus without yielding in anything to him. But we shall have reckoned without Hermione, in whom the hopefulness of Orestes arouses a passionate rage of jealousy, as we see from her conversation with her confidante, Cléone (II., 1), and with Orestes (II., 2). She is willing to sacrifice both him and herself to her vengeance. Therefore she seeks to hide her love for Pyrrhus from Orestes, and agrees to return with him to Greece, should Pyrrhus, with the choice put plainly before him by Orestes, elect to save Astyanax—not that she intends, as he imagines (II., 3), to crown his love, but only to inflame it, so that, in case Pyrrhus abandons her, she may use it for her vengeance. The hopes and plans of Orestes are unexpectedly crossed, however, by the offer of Pyrrhus (II., 4) to surrender Astyanax and to marry Hermione, since Andromache has again refused him (I., 4), though he cannot hide that he loves her still, any more than Hermione would have hidden her love for Pyrrhus from the jealous Orestes (II., 2), had he not been too blind to see it. Orestes withdraws desperate, his glowing passion ready to be forged to Hermione's purpose ; but Pyrrhus, in conversation with Phœnix, shows that he still loves Andromache and still hopes to win her love, so that the second act closes in artistic suspense.

Orestes now determines on a forcible abduction of Hermione, whom he fondly imagines to prefer him to Pyrrhus (III., 1), but he finds her, as we expect, ready to accept the love of Pyrrhus without hesitation and coldly neglectful of Orestes (III., 2). Rejoicing in the valor of Pyrrhus, she has no fear of provoking the vengeance of Orestes (III., 3), and in her pride consents to receive the suppliant Andromache (III., 4), whose prayers she treats with scorn, and refers her with cold irony to Pyrrhus But pride goes before a fall. As in Greek tragedy, Hybris summons Até. Andromache follows the advice contemptuously

proffered (III., 5). She sees Pyrrhus, and by her presence and
supplications inspires him with new hope (III., 6) and leads
him to offer to conduct her to the temple prepared for his marriage with Hermione (III., 7). He leaves her, saying that he
will return in a moment to crown her, or, should she refuse, to
slay Astyanax before her eyes (976). In a superb scene she
tells the conflicting motives that rend her soul, and determines
at last to seek counsel at her husband's tomb (III., 8).

Thus the third act ends with the same question as the second, but now it is the mother that asks it, not the master ; and
so the intensity of the situation is ever increasing. The psychic
climax, so far as Andromache is concerned, is reached, and in
the first scene of the fourth act our minds are set at rest in
regard to her and Astyanax : she will wed Pyrrhus, take from
him at the altar a pledge to guard Astyanax, and then die,
faithful to Hector, by her own hand. The psychic interest from
now to the close centres in Hermione, who will show us that
"hell hath no fury like a woman scorned." She will have vengeance, and there shall no love be mingled with her hate.
Orestes shall serve her, but he shall not receive the price of his
service. Her confidante informs her of Pyrrhus's changed
mind and goads her to fury (IV., 2) ; she refuses the offer of
Orestes to flee with him and arm all Greece for her vengeance,
for then Pyrrhus would have had some happy marriage days.
Orestes shall kill him at the very altar of Hymen, and to this
the blinded lover consents (IV., 3). Then, after a scene with
her confidante (IV., 4), in which her passion utters itself in
geyser-bursts, the king comes to inform her of his decision,
and extorts from her passionate declarations of love, followed by
bitter reproaches and fiercest threats (IV., 5), but all in vain
(IV., 6) ; so that the close of the fourth act seems to preclude
all possibility of a peaceful solution.

Yet the opening of the fifth act finds her still tossed between
love and hate, doubtful of her will (V. 1), until her thirst of
vengeance is fanned by her confidante's account of the opening

ceremonies of her rival's wedding ; then, impatient at the delay
of Orestes, she determines to go herself to slay the king (V., 2),
when she is met by Orestes, returning to her with the news of
the assassination of Pyrrhus by the Greek followers of Orestes.
But, to his surprise, she greets him with imprecations. Now
that Pyrrhus is dead, jealousy dies with him, and love alone
survives. Determined to perish with her beloved, she rushes
from the scene (V., 3), leaving the astonished Orestes to come
to a consciousness of his crime and of its fruitlessness (V., 4).
But Pylades soon interrupts his bitter reflections. The men of
Epirus, recognizing Andromache for their queen, are determined to avenge Pyrrhus, and Orestes has just time to join the
retreating Greeks ; but, on hearing that Hermione has killed
herself on the body of Pyrrhus, his mind is clouded, the Furies
seize on him, and he is borne away by the faithful Pylades. All
who gave way to passion have perished in body or in mind ;
Andromache alone remains, because she alone has not been
passion's fool.

It will have been obvious to any classical student that the
acts, and in some degree the motives, of the personages in this
drama are not those that are or could be attributed to the persons bearing like names in Homer, Euripides, Virgil, Ovid,
Pausanias, or Seneca. To them Andromache did, indeed, save
Astyanax from the flames of Troy, but only to see him perish
at the hands of Ulysses or Menelaus, or, as Seneca avers, of
Pyrrhus himself. These writers further state or assume that
Andromache lived connubially with Pyrrhus before and after
his marriage with Hermione, and that she bore to him three
sons : Molossus, Piclus, and Pergamus, the first of whom takes
in Euripides somewhat the place accorded here to Astyanax.
On the death of Pyrrhus the Andromache of tradition married
Helenus, a son of Priam, and governed with him a part of
Epirus, as a sort of vassal of Pyrrhus' grandfather, Peleus.

The Hermione of classic tradition had been promised, as in

Andromaque, in her father's absence and before his return
from Troy, to Orestes, her first cousin. Her father, however,
preferred the son of Achilles. Here the resemblance ends. In
classic tradition Pyrrhus took Hermione to Epirus as his bride ;
here she is escorted there by Greeks, with the understanding
that he will espouse her, and thus she has more reason for
jealous irritation with Pyrrhus for his delay than the married
Hermione could have had. Given the character of Orestes, such
a situation could end only tragically ; but, though the ancients
tell discordant tales, none of them agrees with Racine. Some
make Hermione passionately attached to Orestes, and so willing to connive at his murder of Pyrrhus ; others make her
motive jealousy of her captive rival Andromache ; others make
Orestes kill Pyrrhus without her connivance. But whether she
gave herself to the murderer of her husband out of love or
pique, the pair went to Sparta, and seem to have reigned there
long and happily. Thus not merely the circumstance that
Orestes has Pyrrhus killed by his followers at Delphi in the
temple, instead of in Epirus, with a slightly different motive,
separates the older writers from Racine, but the result of
the murder on Orestes and on Hermione herself is wholly
different.

It must be admitted that the changes made by Racine in the
received tradition were justifiable from an artistic point of view,
and demanded from a moral one ; but if he separated himself
thus radically from tradition in his action, he separated himself
still more radically from historic probability, in the sentiments
that he attributes to his characters. No Greek king of the
heroic age, much less the king most notorious for his cruel fury,
would have been capable of such romantic feelings and wavering affections. Pyrrhus' conception of love is not the conception of the heroic age at all, but, as has been cleverly shown by
Taine, that of the *précieux* Salons of Paris and of the courtiers
of Versailles, with a certain decorum in its outward expression,
with happily turned phrases, and insinuating attenuations that

mask with a certain courtliness the fundamental brutality of his absolute power.

And much the same may be said of all the other characters. This Orestes whose " innocence weighs upon him " (772) is surely not the murderer of Clytemnestra, this Andromache was never a Greek slave, and this Hermione is what under freer conditions the ladies would have become of whom Bussy-Rabutin tells, and those whose vengeance he felt ; and Pylades, from having been a friend and companion, has become for Racine a dependent, without individual will or even conscience, whose merit is "not to be a man, but an echo."

But, when we have said all this, Racine will answer that historical reality is absolutely indifferent to him ; that, here and always, he has subordinated situation to character and the individual to the general. The scene is in no definite country ; the action, in no particular century. They are simply far off, in order that they may the better seem universal backgrounds for the display of the feelings of a universal social life, somewhat modified by the larger place in it of the sentiment of love that had come through the general acceptance of Christianity. As Brunetière has well observed : " Racine sought in history only the means to make such feelings tragic or unique. All mothers have trembled for their sons, but only one was in the position of Andromache. History knows but one Hermione, but all duchesses or all laundry-girls have felt, like her, the tortures of jealousy."

Thus the less there is in *Andromaque* of special history the more there is of universal truth ; for it is as classic as it can be, if it is to be as modern and contemporary as it ought to be, to remain a joy to successive generations. Corneille's heroes are of another race ; Racine's seem always our brothers, more so because they walk in the Epirus of his fancy than if they had lived in the palace of Versailles.

III. THE TRAGIC ART OF RACINE.

The production of *Andromaque* November 17th, 1667, is one of the great dates in the history of the French stage—not because this play is greater than *Iphigénie* or *Athalie*, but because it marked a new conception of the tragedian's art.

When Racine returned to Paris, in 1663, and became a fashionable poet at the court of Louis XIV., it was natural that he should come into more or less close relations with the literary circle of which Molière, Boileau and La Fontaine were the chief figures ; and all these preached and practised what they called *bon sens*, an effort at reasonableness and nature in literature. To this we owe not only his restrained vocabulary and comparatively simple diction—though he by no means escaped the influence of the *précieux* Euphuists of the Hôtel Rambouillet and its successors—but also the radical change that he made in the nature of the conception of tragedy itself, not in the comparatively insignificant juvenile *Thebaide* (1664) and *Alexandre* (1665), but in *Andromaque* and in all the plays that followed. Corneille's historic atrocities attracted because of their singularity. The school of good sense would substitute for those rarer states of soul the universal passion of love, so that it is only in the intensity of its manifestation that the tragedy of Racine differs from the comedy of Molière, while it differs from the tragic ideal of Corneille in its ethical conception of the human soul as given over inevitably to the tragic fatalities of passion.

Since, then, Racine is dealing with a specialized form of a universal psychic condition, he needs no great extent of time or place to develop his inevitable unity of action. All that he requires is a conventional environment that may least distract the attention of the spectator and least restrict the development of passion in his characters. To secure this, he selects civilizations not hedged in by social conventions—heroic Greece, imperial Rome, Pontus, Judea, Constantinople—and persons whose station imposes on them the minimum of restraint. Under these conditions and with his conception of dramatic art the unities that had so tormented Corneille are so natural that, had he not found them ready to his hand, his good sense would inevitably have invented them.

Perhaps no dramatist ever worked with such conscientious art as Racine. With him it was mortal earnest. He is a psychologic realist who undertakes to push to its utmost verge the evolution of passion and to show how in Goethe's words " every guilt avenges itself on earth." Throughout his point of view is that of Port-Royal, fatalism modified by the grace of God. Note, for instance, lines 98, 482, 640, 1309. Struggle against destiny, remorse at moral defeat, is in some form always the subject of Racine's tragic genius, and our approval or condemnation of his ethics will always depend on our judgment of the ethics of Pascal and of Port-Royal.

The inevitableness of destiny is reflected in the close structure of his work in which the end seems always planned before the beginning is written, in which every speech, exit, entrance, has been weighed, where nothing can be spared and nothing need be added to complete the author's thought and round out the harmony of the whole. He is rigidly logical. " There is in *Andromaque*," says Brunetière, " a simplicity of means, an exactitude and precision, that have never been surpassed. . . . There is incomparable depth and penetration of psychic analysis. Nothing in our modern literature is nearer perfection than a drama of Racine."

The three " unities " are observed strictly. The place is a hall in the palace of Pyrrhus, where, with the slight conventionality of place claimed by Corneille, all may reasonably be supposed to pass within a single day, while within the acts the scenes are linked without a break. Voltaire thought that the unity of action was affected by a division of interest between

Andromache and Hermione ; but this is unjust, for all depends on, and is subordinated with relentless logic to, the issue of the tragic conflict in Andromache's heart, and all works together by direct illustration and contrast to the central aim of the work, the glorification of purified wifely and motherly love.

Thus *Andromaque* is an ideal classic realistic tragedy, and it justifies that ideal. Yet it was criticised both on æsthetic and on moral grounds. Of the latter we have spoken. The technical faults found in it were, first, that the action "lacked substance," that it was excessively simple and subordinated to the characters ; secondly, that Racine had altered history ; and thirdly, that he had degraded the dignity of tragedy by writing simply. The last two points will seem to us merits rather than defects in a dramatic poet. They belonged to the general effort of the school of 1660 to put in their work a maximum of universal nature and truth, and they were naturally criticised by the admirers of Corneille. To the first point, however, Racine would say that the less the spectator is distracted by striking events and episodes, the more effective the psychic catastrophe, the more readily it will be realized as applicable to himself by the spectator or reader. Racine, therefore, would claim that this "fault" also was a virtue.

Hence it is that nature and the influences of nature play so small a part in the intellectual life of Racine's characters, as they played but a minor part in the moral life of Port-Royal, or, indeed, of the age of Louis XIV. Racine "introduced a sort of aristocracy in art. He took of things only what was noble and essential—from the universe, man and not nature ; from society, the great not the little ; from the human individual, the soul not the body ; from the soul, its substance not its phenomena."

In Racine's tragedy men dominate events. They are what they make themselves. But tragedy demands that passion dominate will ; and, since his age accepted more readily the dominance of passion in women than in men, his great characters are nearly all women, and thus, as Lanson gallantly observes, " from Racine dates the empire of woman in literature," at least in France.

It was said that Racine did not invent tragic combinations, as did Corneille ; and that is true.   Far from adding to tradition, he simplified it.   He sought no novel situations, but endeavored to draw from natural ones their full import, which was poetic invention of a higher kind ; and therefore he paid little heed to stage-setting or costumes.   His dramas " could be acted without great impropriety in a parlor in street dress or at court in a spectacular setting," for they are of any place and any time, except here and now.   There is in *Andromaque* just enough local color to preserve the illusion of Greece that educated Frenchmen had drawn from Plutarch, but no knowledge of the personages is assumed, and acquaintance with classic tradition might, perhaps, be as often a hindrance as a help to the spectator.   And as he assumes no knowledge of his subject at the outset, so he draws his catastrophe wholly from the inner necessity of the drama, from the characters as he has conceived them, working out by inexorable law that majestic sadness that is both the source of our pleasure in Racine's art and the foundation of the religious philosophy of Port-Royal.

But put these passions in minds incapable of forcing them to a tragic intensity, substitute a denouement for a catastrophe, and we have Moliere's comedy of character ; for, as critics showed long ago, they are separated by the nature of the personages, not by the conduct of the action.

IV. THE DICTION OF RACINE.

The diction of *Andromaque*, as of the succeeding works of Racine, is more easy and simple than that of Corneille, while it is less lyric than that of *Esther* and *Athalie*.   Racine was the first in France to see that the most forcible expression of intense emotion is not gained by pompous or sententious de-

clamation, but by severe simplicity or ironical restraint. It is
instructive to contrast the declamation of Camille in Corneille's
Horace (IV., 5) with the naked lightning that reveals the abysses
of Hermione's heart. (For instance 476, 1162, sq. 1319, sq.
1544, sq.) Racine is bold in his use of language, but his bold-
ness is nearly always restrained by good taste and by an almost
unerring instinct of art, though occasionally he abuses ellipsis
and strains metaphor.

In general, we may say of Racine's epithets that they are
psychological rather than picturesque—that is, they try to tell
how a thing appeals to the soul rather than how it strikes the
eye. One notes the constant recurrence of such adjectives as
*aimable, charmant, divin, étonnant, admirable, touchant, ter-
rible, épouvantable.*

Racine excludes rigidly from his diction all that is not good
current usage of his time. He adds nothing to an already re-
stricted vocabulary. He shares the taste of the Euphuists, for
Latinisms, but he avoids the archaic. He shrinks from collo-
quialisms, but not from the *mot propre.* A dog is a dog to
him, and a spade a spade. He had sufficient sense of humor to
see that the *style noble* verged on comic pomposity. His art
was that of harmonious or startling combinations, of poetically
sustained metaphors and exact connotations in his selection
of terms. His noblest characters are most restrained in their
use of rhetorical ornament. The rôle of Andromache is almost
wholly admirable.

Yet no man frees himself entirely from the mannerisms of
his time. There is quite a nosegay of euphuisms to be gathered
from the speeches of Orestes and Pyrrhus, phrases that would
have pleased the ear of Madeleine de Scudéry and the coterie
of the euphuistic *précieux.* A statistical enumeration of such
phrases is difficult, for it is hard to fix the line of demarcation
between poetic ornament and artificial preciosity. Some ex-
pressions will seem natural to those who do not know of their
abuse by the contemporary novelists, others, like the plural of

2

majesty, are very pardonable affectations. Every critic has a right here to his own judgment. The present editor finds 78 words or phrases in *Andromache* more or less tinged with preciosity, nearly a third of which are attributable to abuse of the word *œil (yeux)* [1] while words like *cruel (cruauté), fers, feux, flamme, lois, pieds, vœux*, are similarly abused from three to five times each, and twenty-five other words [2] once or twice.

Perhaps the gravest fault that can be found with the diction of Racine is what a French critic, M. Paul Stapfer, has wittily called its fourth unity, that of tone, that makes Céphise and Cléone speak in the language of Andromache and Hermione. This unity was not realistic, it was not Greek, it was not even Corneillian in its entirety, but rather an innovation of Racine's resulting from the disdain that an idealist naturally feels for the external differences of manner, dress, behavior, or gesture that mark differences of birth, education, disposition, and temperament. " All the characters of Racine," says M. Stapfer, " have the same nobility and the same eloquence, because their sole function is to translate the eternally identical language of reason and passion." But in the hands of less talented successors this " unity " soon sank to a mannerism against which the romantic dramatists of 1830 and their precursors first protested with earnestness and success, but with the risk of falling into the opposite and baser extreme of pinchbeck naturalism and dialectic vulgarity.

---

[1] See lines 123, 240, 496, 532, 557, 568, 763, 817, 1151, 1291 (Orestes); 315, 626, 675, (Pyrrhus); 459, 533, 554, 815, 1370, 1397 (Hermione); 449, 1146 (Cléone); 893, 1032 (Andromache). Of course the word is also used frequently in a metaphorical sense that is entirely legitimate.

[2] attraits (483), avare (494) blessure (485) bouche (1366) brûle (250) charme (50) cœur (624) espoir (259) furie (753) inhumaine (26) injure (1350) maîtresse (249) pousser (35) objet (595) princesse (1522) proie (599) provinces (1358) regards (864) salaire (1145) sensible (472) soupirs (958) tête (113) transport (719) tranchir (929).

V. THE VERSIFICATION OF ANDROMAQUE.

Racine's versification is, like his diction, simple, easy, harmonious, bold, yet saved from being too bold by a taste that is almost always sound and sure. Racine added nothing to the Alexandrine couplet, in the management of which he is the greatest master. His innovations were wholly in new combinations and arrangements of old forms.

The Alexandrine verse is made up of alternating couplets of 12 and 13 syllables, among which are counted all mute e's except before vowels, the thirteenth syllable of the alternate couplets being always a final e used to produce what is called a "feminine" or dissyllabic rhyme. Thus:

Oui-puis-que-je-re-trouv'-un-am-i-si-fi-dè-le (1)
Ma-for-tu-ne-va-prendr'-un-e-fa-ce-nou-vel-le (2)

After the sixth of these syllables, e. g. *trouv'* and *prendr'* above, there is a pause, "cæsura," usually the chief rhetorical pause of the verse, which is thus divided into hemistichs of which the sixth and twelfth syllables will always be accented, while within each hemistich there will almost always be found one, sometimes two, rhetorical pauses that by their shifting positions give variety to the internal rhythm of the verse: Thus we may have four groups of three syllables each, as :

Et déjà | son courroux | semble s'êtr' | adouci (3) or two, four, four, two, as :

Depuis | qu'ell' a pris soin | de nous rejoindr' | ici (4) or one, five, three, three :

Quoi | votr' am' à l'amour | en esclav' | asservi (29) or any other of the possible similar permutations. Rarely a hemistich will be found with no interior pause as, for instance, *de ses embrassements* (648), and even more rare are those with two interior pauses, as : *Il vient ! Eh bien ! Va donc* (141). But such variations offer no practical difficulty to the reader. Occasionally, too, the main pause is shifted to another part of the verse, as for instance in 1543, but in Andromaque there is always a pause after the sixth foot, that is to say, this play contains no so-called " romantic " line.

Corresponding to the medial pause for the cæsura is another at the end of each line, a neglect of which is called " enjambement." This may be found between 1033-4, 1211-2 and 1531-2. where its purpose, like that of every other metrical license, is to break a monotonous succession of couplets, while from the variation of the internal divisions Racine is able to produce a whole gamut of effects of languor, repose, and rhythmic crescendo of emotion. This classical Alexandrine verse is most highly developed in *Athalie*, but it is most regular in *Andromaque*, and this play furnishes ample illustration of its power and of its sinuous charm.

In reading Alexandrine lines aloud the student must seek to bring out as effectively as possible by his division of the hemistichs the rhetorical accents and pauses, and he must so order these as to attain variety in harmony. To this end he may suppress such e-mutes as he will if only their place be taken by corresponding pauses. Scansion thus becomes often a subjective matter. Mechanical rules can be given only for mechanical reading. For effective delivery they may prove not only futile, but positively detrimental. A little example will be found more effective than much precept. When the pupil has heard a few rhetorical speeches (*tirades*) well read, the lilt of the measure will impress itself so on his ear that it will become difficult to read erroneously. Without such aid it is hardly worth while to attempt French versification at all.[1]

1 The best brief detailed study of the Alexandrine known to me is contained in Professor Eggert's *Athalie*.—(D. C. Heath and Co.)

VII. BIBLIOGRAPHICAL NOTES.

The standard text of Racine and that used in this edition, is that of Paul Mesnard in *les Grands écrivains de la France* (Paris, 1865). A supplementary volume by Marty-Laveaux contains a *Lexique de la langue de Racine* with a grammatical introduction, which has been consulted for the present edition. The best French annotated edition of *Andromaque* is by Lanson (Hachette). There are others by Larroumet, Boully, Lavigne, Abbé Figuière and Bernardin. There is an excellent edition with German notes by Stern, and another by Van Laun. I know of no commendable edition in English.

The best popular biographies of Racine are by Larroumet, in the series of *Grands écrivains français*, and by Monceaux in *Classiques populaires*. One may consult also with profit Stapfer's *Racine et V. Hugo*, Deltour, *les Ennemis de Racine* and Sainte-Beuve's *Port-Royal* (volume 6). On Racine's dramatic art the most valuable essays are probably those by Brunetière in his *Époques du théâtre français*, in the second volume of his *Histoire et littérature* and in his *Manuel de la littérature française*. Brilliant essays by Lemaître may be found in the first, second and fourth volumes of his *Impressions de théâtre*. Attention may be called also to a study by Taine in his *Nouveux essais*, to Lanson's *Histoire de la littérature française* and to Faguet's *Dix-septième siècle*. The list might be indefinitely extended with little trouble and probably less profit.

A MADAME [1]

MADAME,

Ce n'est pas sans sujet que je mets votre illustre nom à la
tête de cette ouvrage.   Et de quel autre nom pourrais-je
éblouir les yeux de mes lecteurs, que de celui dont mes
spectateurs ont été si heureusement éblouis ?   On savait que
VOTRE ALTESSE ROYALE avait daigné prendre soin de la con-   5
duite de ma tragédie.   On savait que vous m'aviez prêté
quelques-unes de vos lumières pour y ajouter de nouveaux
ornements.   On savait enfin que vous l'aviez honorée de
quelques larmes dès la première lecture que je vous en fis.
Pardonnez-moi, MADAME, si j'ose me vanter de cet heureux 10
commencement de sa destinée.   Il me console bien glorieuse-
ment de la dureté de ceux qui ne voudraient pas s'en laisser
toucher.   Je leur permets de condamner l'*Andromaque* tant
qu'ils voudront, pourvu qu'il me soit permis d'appeler de
toutes les subtilités de leur esprit au cœur de VOTRE ALTESSE 15
ROYALE.

Mais, MADAME, ce n'est pas seulement du cœur que vous
jugez de la bonté d'un ouvrage, c'est avec une intelligence
qu'aucune fausse lueur ne saurait tromper.   Pouvons-nous
mettre sur la scène une histoire que vous ne possédiez aussi 20
bien que nous ?   Pouvons-nous faire jouer une intrigue dont
vous ne pénétriez tous les ressorts ?   Et pouvons-nous con-
cevoir des sentiments si nobles et si délicats qui ne soient

1

infiniment au-dessous de la noblesse et de la délicatesse de
vos pensées ?

On sait, MADAME, et VOTRE ALTESSE ROYALE a beau s'en
cacher, que dans ce haut degré de gloire où la nature et la
fortune ont pris plaisir de vous élever, vous ne dédaignez pas 5
cette gloire obscure que les gens de lettres s'étaient réservée.
Et il semble que vous ayez voulu avoir autant d'avantage sur
notre sexe par les connaissances et par la solidité de votre
esprit, que vous excellez dans le vôtre par toutes les grâces
qui vous environnent.   La cour vous regarde comme l'arbitre 10
de tout ce qui se fait d'agréable.   Et nous, qui travaillons
pour plaire au public, nous n'avons plus que faire de demander aux savants si nous travaillons selon les règles.[1]   La
règle souveraine est de plaire à VOTRE ALTESSE ROYALE.

Voilà sans doute la moindre de vos excellentes qualités. 15
Mais, MADAME, c'est la seule dont j'ai pu parler avec quelques connaissances : les autres sont trop élevées au-dessus
de moi.   Je n'en puis parler sans les rabaisser par la faiblesse
de mes pensées, et sans sortir de la profonde vénération avec
laquelle je suis,   20

      MADAME,

        De VOTRE ALTESSE ROYALE

          Le très humble, très obéissant

          et très fidèle serviteur,

                       RACINE.   25

PREMIÈRE PRÉFACE

VIRGILE

AU TROISIÈME LIVRE

DE L'ÉNÉIDE

C'es t Énée qui parle.

Littoraque Epiri legimus, portuque subimus [1]
Chaonio, et celsam Buthroti ascendimus urbem....
Solemnes tum forte dapes et tristia dona....
Libabat cineri Andromache, Manesque vocabat
Hectoreum ad tumulum, viridi quem cespite inanem,   5
Et geminas, causam lacrymis, sacraverat aras....
Dejecit vultum, et demissa voce locuta est:
" O felix una ante alias Priameia virgo,
Hostilem ad tumulum, Trojæ sub mœnibus altis,
Jussa mori! quæ sortitus non pertulit ullos,   10
Nec victoris heri tetigit captiva cubile.
Nos, patria incensa, diversa per æquora vectæ,
Stirpis Achilleæ fastus, juvenemque superbum,
Servitio enixæ, tulimus, qui deinde secutus
Ledæam Hermionem, Lacedæmoniosque hymenæos....   15
Ast illum, ereptæ magno inflammatus amore
Conjugis, et scelerum Furiis agitatus, Orestes
Excipit incautum, patriasque obtruncat ad aras. "

Voilà, en peu de vers, tout le sujet de cette tragédie.
Voilà le lieu de la scène, l'action qui s'y passe, les quatre   20

principaux acteurs, et même leurs caractères.   Excepté celui
d'Hermione, dont la jalousie et les emportements sont assez
marqués dans l'*Andromaque* d'Euripide.[1]

Mais véritablement mes personnages sont si fameux dans
l'antiquité, que pour peu qu'on la connaisse, on verra fort   5
bien que je les ai rendus tels que les anciens poètes nous les
ont donnés.[2]   Aussi n'ai-je pas pensé qu'il me fût permis de
rien changer à leurs mœurs.[3]   Toute la liberté que j'ai prise,
ç'a été d'adoucir un peu la férocité de Pyrrhus, que Sénèque,
dans sa *Troade*, et Virgile, dans le second de l'*Énéide*, ont   10
poussée beaucoup plus loin que je n'ai cru le devoir faire.

Encore s'est-il trouvé des gens qui se sont plaints qu'il
s'emportât contre Andromaque, et qu'il voulût épouser cette
captive à quelque prix que ce fût.   J'avoue qu'il n'est pas
assez résigné à la volonté de sa maîtresse et que Céladon [4] a 15
mieux connu que lui le parfait amour.[5]   Mais que faire ?
Pyrrhus n'avait pas lu nos romans.   Il était violent de son
naturel.   Et tous les héros ne sont pas faits pour être des
Céladons.

Quoi qu'il en soit, le public m'a été trop favorable pour 20
m'embarrasser du chagrin [6] particulier de deux ou trois per-
sonnes qui voudraient qu'on réformât tous les héros de l'antiquité pour en faire des héros parfaits.   Je trouve leur
intention fort bonne de vouloir qu'on ne mette sur la scène
que des hommes impeccables.   Mais je les prie de se souve- 25
nir que ce n'est pas à moi de changer les règles du théâtre.
Horace [7] nous recommande de dépeindre Achille farouche,
inexorable, violent, tel qu'il était, et tel qu'on dépeint son
fils.   Et Aristote,[8] bien éloigné de nous demander des héros
parfaits, veut au contraire que les personnages tragiques, 30
c'est-à-dire ceux dont le malheur fait la catastrophe de la

tragédie, ne soient ni tout à fait bons, ni tout à fait méchants. Il ne veut pas qu'ils soient extrêmement bons, parce que la punition d'un homme de bien exciterait plutôt l'indignation que la pitié du spectateur ; ni qu'ils soient méchants avec excès, parce qu'on n'a point pitié d'un scélérat. Il faut donc qu'ils aient une bonté médiocre, c'est-à-dire une vertu capable de faiblesse, et qu'ils tombent dans le malheur par quelque faute qui les fasse plaindre sans les faire détester.

SECONDE PRÉFACE

.

VIRGILE

(1676 ET ÉDITIONS SUIVANTES)

(This Preface repeats the first as far as page 4, line 3, and then proceeds as follows.)

C'est presque la seule chose que j'emprunte ici de cet auteur. Car, quoique ma tragédie porte le même nom que la sienne, le sujet en est pourtant très différent. Andromaque, dans Euripide, craint pour la vie de Molossus, qui est un fils qu'elle a eu de Pyrrhus et qu'Hermione veut faire mourir avec sa mère. Mais ici il ne s'agit point de Molossus, Andromaque ne connaît point d'autre mari qu'Hector, ni d'autres fils qu'Astyanax. J'ai cru en cela me conformer à l'idée que nous avons maintenant de cette princesse. La plupart de ceux qui ont entendu parler d'Andromaque, ne la connaissent guère que pour la veuve d'Hector et pour la mère d'Astyanax. On ne croit point qu'elle doive aimer ni un autre mari, ni un autre fils. Et je doute que les larmes d'Andromaque eussent fait sur l'esprit de mes spectateurs l'impression qu'elles y ont faite, si elles avaient coulé pour un autre fils que celui qu'elle avait d'Hector.

Il est vrai que j'ai été obligé de faire vivre Astyanax un peu plus qu'il n'a vécu; mais j'écris dans un pays où cette

6

liberté ne pouvait pas être mal reçue. Car, sans parler de
Ronsard,[1] qui a choisi ce même Astyanax pour le héros de
sa *Franciade*, qui ne sait que l'on fait descendre nos anciens
rois de ce fils d'Hector, et que nos vieilles chroniques[2] sau-
vent la vie à ce jeune prince, après la désolation de son pays, 5
pour en faire le fondateur de notre monarchie ?

Combien Euripide a-t-il été plus hardi dans sa tragédie
d'*Hélène !* Il y choque ouvertement la créance[3] commune de
toute la Grèce. Il suppose qu'Hélène n'a jamais mis le pied
dans Troie ; et qu'après l'embrasement de cette ville, Méné- 10
las trouve sa femme en Egypte, dont elle n'était point partie.
Tout cela fondé sur une opinion qui n'était reçue que parmi
les Égyptiens, comme on le peut voir dans Hérodote.[4]

Je ne crois pas que j'eusse besoin de cet exemple d'Euripide pour justifier le peu de liberté que j'ai prise. Car il y 15
a bien de la différence entre détruire le principal fondement
d'une fable, et en altérer quelques incidents, qui changent
presque de face dans toutes les mains qui les traitent.
Ainsi Achille, selon la plupart des poètes, ne peut être blessé
qu'au talon, quoique Homère[5] le fasse blesser au bras et ne 20
le croie invulnérable en aucune partie de son corps. Ainsi
Sophocle[6] fait mourir Jocaste aussitôt après la reconnaissance
d'Œdipe, tout au contraire d'Euripide,[7] qui la fait vivre jusqu'au combat et à la mort de ses deux fils. Et c'est à
propos de quelque contrariété de cette nature qu'un ancien 25
commentateur[8] de Sophocle remarque fort bien, « qu'il ne faut
point s'amuser à chicaner les poètes pour quelques changements qu'ils ont pu faire dans la fable ; mais qu'il faut s'at-
tacher à considérer l'excellent usage qu'ils ont fait de ces
changements, et la manière ingénieuse dont ils ont su accom- 30
moder la fable à leur sujet.»

ANDROMAQUE

TRAGÉDIE.

ACTEURS[1]

———

ANDROMAQUE, veuve d'Hector, captive de Pyrrhus.

PYRRHUS, fils d'Achille, roi d'Épire.

ORESTE, fils d'Agamemnon.

HERMIONE, fille d'Hélène, accordée avec Pyrrhus.

PYLADE, ami d'Oreste.

CLÉONE, confidente d'Hermione.

CÉPHISE, confidente d'Andromaque.

PHŒNIX, gouverneur d'Achille, et ensuite de Pyrrhus.

SUITE D'ORESTE.

La scène est à Buthrote, ville d'Épire,[2] dans une salle du palais
de Pyrrhus.

ACTE I

SCÈNE PREMIÈRE

Oreste, Pylade

ORESTE.

Oui, puisque je retrouve un ami si fidèle,
Ma fortune va prendre une face nouvelle ;
Et déjà son courroux semble s'être adouci,
Depuis qu'elle a pris soin de nous rejoindre ici.
Qui l'eût dit, qu'un rivage à mes vœux si funeste   5
Présenterait d'abord Pylade aux yeux d'Oreste ?
Qu'après plus de six mois que je t'avais perdu,
A la cour de Pyrrhus tu me serais rendu ?

PYLADE.

J'en rends grâces au ciel, qui m'arrêtant sans cesse
Semblait m'avoir fermé le chemin de la Grèce,   10
Depuis le jour fatal que la fureur des eaux
Presque aux yeux de l'Épire écarta nos vaisseaux.
Combien dans cet exil ai-je souffert d'alarmes !
Combien à vos malheurs ai-je donné de larmes,
Craignant toujours pour vous quelque nouveau danger   15
Que ma triste amitié ne pouvait partager !
Surtout je redoutais cette mélancolie
Où j'ai vu si longtemps votre âme ensevelie.

11

Je craignais que le ciel, par un cruel secours,
Ne vous offrît la mort que vous cherchiez toujours.   20
Mais je vous vois, Seigneur ; et si j'ose le dire,
Un destin plus heureux vous conduit en Épire :
Le pompeux appareil qui suit ici vos pas
N'est point d'un malheureux qui cherche le trépas.

ORESTE.

Hélas ! qui peut savoir le destin qui m'amène ?   25
L'amour me fait ici chercher une inhumaine.
Mais qui sait ce qu'il doit ordonner de mon sort,
Et si je viens chercher ou la vie ou la mort ?

PYLADE.

Quoi ? votre âme à l'amour en esclave asservie
Se repose sur lui du soin de votre vie ?   30
Par quel charme, oubliant tant de tourments soufferts,
Pouvez-vous consentir à rentrer dans ses fers ?
Pensez-vous qu'Hermione, à Sparte inexorable,
Vous prépare en Épire un sort plus favorable ?
Honteux d'avoir poussé tant de vœux superflus,   35
Vous l'abhorriez ; enfin vous ne m'en parliez plus.
Vous me trompiez, Seigneur.

ORESTE.

               Je me trompais moi-même.
Ami, n'accable point un malheureux qui t'aime.
T'ai-je jamais caché mon cœur et mes désirs ?
Tu vis naître ma flamme et mes premiers soupirs.   40
Enfin, quand Ménélas disposa de sa fille
En faveur de Pyrrhus, vengeur de sa famille,

Tu vis mon désespoir ; et tu m'as vu depuis
Traîner de mers en mers ma chaîne et mes ennuis.
Je te vis à regret, en cet état funeste, 45
Prêt à suivre partout le déplorable Oreste,
Toujours de ma fureur interrompre le cours,
Et de moi-même enfin me sauver tous les jours.
Mais quand je me souvins que parmi tant d'alarmes
Hermione à Pyrrhus prodiguait tous ses charmes, 50
Tu sais de quel courroux mon cœur alors épris
Voulut en l'oubliant punir tous ses mépris.
Je fis croire et je crus ma victoire certaine ;
Je pris tous mes transports pour des transports de haine ;
Détestant ses rigueurs, rabaissant ses attraits, 55
Je défiais ses yeux de me troubler jamais.
Voilà comme je crus étouffer ma tendresse.
En ce calme trompeur j'arrivai dans la Grèce ;
Et je trouvai d'abord ses princes rassemblés,
Qu'un péril assez grand semblait avoir troublés. 60
J'y courus. Je pensa' que la guerre et la gloire
De soins plus importants rempliraient ma mémoire ;
Que mes sens reprenant leur première vigueur,
L'amour achèverait de sortir de mon cœur.
Mais admire avec moi le sort dont la poursuite 65
Me fait courir alors au piège que j'évite.
J'entends de tous côtés qu'on menace Pyrrhus ;
Toute la Grèce éclate en murmures confus ;
On se plaint qu'oubliant son sang et sa promesse
Il élève en sa cour l'ennemi de la Grèce, 70
Astyanax, d'Hector jeune et malheureux fils,
Reste de tant de rois sous Troie ensevelis.
J'apprends que pour ravir son enfance au supplice

Andromaque trompa l'ingénieux Ulysse,
Tandis qu'un autre enfant, arraché de ses bras, 75
Sous le nom de son fils fut conduit au trépas.
On dit que peu sensible aux charmes d'Hermione,
Mon rival porte ailleurs son cœur et sa couronne :
Ménélas, sans le croire, en paraît affligé,
Et se plaint d'un hymen si longtemps négligé. 80
Parmi les déplaisirs où son âme se noie,
Il s'élève en la mienne une secrète joie :
Je triomphe ; et pourtant je me flatte d'abord
Que la seule vengeance excite ce transport.
Mais l'ingrate en mon cœur reprit bientôt sa place : 85
De mes feux mal éteints je reconnus la trace ;
Je sentis que ma haine allait finir son cours,
Ou plutôt je sentis que je l'aimais toujours.
Ainsi de tous les Grecs je brigue le suffrage.
On m'envoie à Pyrrhus : j'entreprends ce voyage. 90
Je viens voir si l'on peut arracher de ses bras
Cet enfant dont la vie alarme tant d'États :
Heureux si je pouvais, dans l'ardeur qui me presse,
Au lieu d'Astyanax lui ravir ma princesse !
Car enfin n'attends pas que mes feux redoublés 95
Des périls les plus grands puissent être troublés.
Puisqu'après tant d'efforts ma résistance est vaine,
Je me livre en aveugle au destin qui m'entraîne.
J'aime : je viens chercher Hermione en ces lieux,
La fléchir, l'enlever, ou mourir à ses yeux. 100
Toi qui connais Pyrrhus, que penses-tu qu'il fasse ?
Dans sa cour, dans son cœur, dis-moi ce qui se passe.
Mon Hermione encor le tient-elle asservi ?
Me rendra-t-il, Pylade, un bien qu'il m'a ravi ?

PYLADE.

Je vous abuserais si j'osais vous promettre 105
Qu'entre vos mains, Seigneur, il voulût la remettre :
Non que de sa conquête il paraisse flatté.
Pour la veuve d'Hector ses feux ont éclaté :
Il l'aime. Mais enfin cette veuve inhumaine
N'a payé jusqu'ici son amour que de haine ; 110
Et chaque jour encore on lui voit tout tenter
Pour fléchir sa captive, ou pour l'épouvanter.
De son fils, qu'il lui cache, il menace la tête,
Et fait couler des pleurs, qu'aussitôt il arrête.
Hermione elle-même a vu plus de cent fois 115
Cet amant irrité revenir sous ses lois,
Et de ses vœux troublés lui rapportant l'hommage,
Soupirer à ses pieds moins d'amour que de rage.
Ainsi n'attendez pas que l'on puisse aujourd'hui
Vous répondre d'un cœur si peu maître de lui : 120
Il peut, Seigneur, il peut, dans ce désordre extrême,
Épouser ce qu'il hait, et punir ce qu'il aime.

ORESTE.

Mais dis-moi de quel œil Hermione peut voir
Son hymen différé, ses charmes sans pouvoir ?

PYLADE.

Hermione, Seigneur, au moins en apparence, 125
Semble de son amant dédaigner l'inconstance,
Et croit que trop heureux de fléchir sa rigueur,
Il la viendra presser de reprendre son cœur.

Mais je l'ai vue enfin me confier ses larmes.
Elle pleure en secret le mépris de ses charmes.   130
Toujours prête à partir et demeurant toujours,
Quelquefois elle appelle Oreste à son secours.

ORESTE.

Ah! si je le croyais, j'irais bientôt, Pylade,
Me jeter....

PYLADE.

    Achevez, Seigneur, votre ambassade.
Vous attendez le Roi. Parlez, et lui montrez   135
Contre le fils d'Hector tous les Grecs conjurés.
Loin de leur accorder ce fils de sa maîtresse,
Leur haine ne fera qu'irriter sa tendresse.
Plus on les veut brouiller, plus on va les unir.
Pressez, demandez tout, pour ne rien obtenir.   140
Il vient.

ORESTE.

   Hé bien! va donc disposer la cruelle
A revoir un amant qui ne vient que pour elle.

SCÈNE II

PYRRHUS, ORESTE, PHŒNIX

ORESTE.

Avant que tous les Grecs vous parlent par ma voix,
Souffrez que j'ose ici me flatter de leur choix,
Et qu'à vos yeux, Seigneur, je montre quelque joie   145
De voir le fils d'Achille et le vainqueur de Troie.

Oui, comme ses exploits nous admirons vos coups
Hector tomba sous lui, Troie expira sous vous ;
Et vous avez montré, par une heureuse audace,
Que le fils seul d'Achille a pu remplir sa place.   150
Mais ce qu'il n'eût point fait, la Grèce avec douleur
Vous voit du sang troyen relever le malheur,
Et vous laissant toucher d'une pitié funeste,
D'une guerre si longue entretenir le reste.
Ne vous souvient-il plus, Seigneur, quel fut Hector ?   155
Nos peuples affaiblis s'en souviennent encor.
Son nom seul fait frémir nos veuves et nos filles ;
Et dans toute la Grèce il n'est point de familles
Qui ne demandent compte à ce malheureux fils
D'un père ou d'un époux qu'Hector leur a ravis.   160
Et qui sait ce qu'un jour ce fils peut entreprendre ?
Peut-être dans nos ports nous le verrons descendre,
Tel qu'on a vu son père embraser nos vaisseaux,
Et, la flamme à la main, les suivre sur les eaux.
Oserai-je, Seigneur, dire ce que je pense ?   165
Vous-même de vos soins craignez la récompense,
Et que dans votre sein ce serpent élevé
Ne vous punisse un jour de l'avoir conservé.
Enfin de tous les Grecs satisfaites l'envie,
Assurez leur vengeance, assurez votre vie ;   170
Perdez un ennemi d'autant plus dangereux
Qu'il s'essaîra sur vous à combattre contre eux.

PYRRHUS.

La Grèce en ma faveur est trop inquiétée.
De soins plus importants je l'ai crue agitée,

2

Seigneur ; et sur le nom de son ambassadeur,   175
J'avais dans ses projets conçu plus de grandeur.
Qui croirait en effet qu'une telle entreprise
Du fils d'Agamemnon méritât l'entremise ;
Qu'un peuple tout entier, tant de fois triomphant,
N'eût daigné conspirer que la mort d'un enfant ?   180
Mais à qui prétend-on que je le sacrifie ?
La Grèce a-t-elle encor quelque droit sur sa vie ?
Et seul de tous les Grecs ne m'est-il pas permis
D'ordonner d'un captif que le sort m'a soumis ?
Oui, Seigneur, lorsqu'au pied des murs fumants de Troie 185
Les vainqueurs tout sanglants partagèrent leur proie,
Le sort, dont les arrêts furent alors suivis,
Fit tomber en mes mains Andromaque et son fils.
Hécube près d'Ulysse acheva sa misère ;
Cassandre dans Argos a suivi votre père :   190
Sur eux, sur leurs captifs ai-je étendu mes droits ?
Ai-je enfin disposé du fruit de leurs exploits ?
On craint qu'avec Hector Troie un jour ne renaisse ;
Son fils peut me ravir le jour que je lui laisse.
Seigneur, tant de prudence entraîne trop de soin ;   195
Je ne sais point prévoir les malheurs de si loin.
Je songe quelle était autrefois cette ville,
Si superbe en remparts, en héros si fertile,
Maîtresse de l'Asie ; et je regarde enfin
Quel fut le sort de Troie, et quel est son destin.   200
Je ne vois que des tours que la cendre a couvertes,
Un fleuve teint de sang, des campagnes désertes,
Un enfant dans les fers ; et je ne puis songer
Que Troie en cet état aspire à se venger.
Ah ! si du fils d'Hector la perte était jurée,   205

Pourquoi d'un an entier l'àvons-nous différée ?
Dans le sein de Priam n'a-t-on pu l'immoler ?
Sous tant de morts, sous Troie il fallait l'accabler.
Tout était juste alors : la vieillesse et l'enfance
En vain sur leur faiblesse appuyaient leur défense ;   210
La victoire et la nuit, plus cruelles que nous,
Nous excitaient au meurtre, et confondaient nos coups.
Mon courroux aux vaincus ne fut que trop sévère.
Mais que ma cruauté survive à ma colère ?
Que malgré la pitié dont je me sens saisir,   215
Dans le sang d'un enfant je me baigne à loisir ?
Non, Seigneur.   Que les Grecs cherchent quelque autre
          proie ;
Qu'ils poursuivent ailleurs ce qui reste de Troie :
De mes inimitiés le cours est achevé ;
L'Épire sauvera ce que Troie a sauvé.   220

ORESTE.

Seigneur, vous savez trop avec quel artifice
Un faux Astyanax fut offert au supplice
Où le seul fils d'Hector devait être conduit.
Ce n'est pas les Troyens, c'est Hector qu'on poursuit.
Oui, les Grecs sur le fils persécutent le père ;   225
Il a par trop de sang acheté leur colère.
Ce n'est que dans le sien qu'elle peut expirer ;
Et jusque dans l'Épire il les peut attirer.
Prévenez-les.

PYRRHUS.

          Non, non.   J'y consens avec joie :
Qu'ils cherchent dans l'Épire une seconde Troie ;   230

Qu'ils confondent leur haine, et ne distinguent plus
Le sang qui les fit vaincre et celui des vaincus.
Aussi bien ce n'est pas la première injustice
Dont la Grèce d'Achille a payé le service.
Hector en profita, Seigneur ; et quelque jour   235
Son fils en pourrait bien profiter à son tour.

ORESTE.

Ainsi la Grèce en vous trouve un enfant rebelle ?

PYRRHUS.

Et je n'ai donc vaincu que pour dépendre d'elle ?

ORESTE.

Hermione, Seigneur, arrêtera vos coups :
Ses yeux s'opposeront entre son père et vous.   240

PYRRHUS.

Hermione, Seigneur, peut m'être toujours chère ;
Je puis l'aimer, sans être esclave de son père ;
Et je saurai peut-être accorder quelque jour
Les soins de ma grandeur et ceux de mon amour.
Vous pouvez cependant voir la fille d'Hélène :   245
Du sang qui vous unit je sais l'étroite chaîne.
Après cela, Seigneur, je ne vous retiens plus,
Et vous pourrez aux Grecs annoncer mon refus.

SCÈNE III

PYRRHUS, PHŒNIX

PHŒNIX.

Ainsi vous l'envoyez aux pieds de sa maîtresse !

PYRRHUS.

On dit qu'il a longtemps brûlé pour la princesse.   250

PHŒNIX.

Mais si ce feu, Seigneur, vient à se rallumer ?
S'il lui rendait son cœur, s'il s'en faisait aimer ?

PYRRHUS.

Ah ! qu'ils s'aiment, Phœnix : j'y consens.   Qu'elle parte.
Que charmés l'un de l'autre, ils retournent à Sparte :
Tous nos ports sont ouverts et pour elle et pour lui,   255
Qu'elle m'épargnerait de contrainte et d'ennui !

PHŒNIX.

Seigneur....

PYRRHUS.

          Une autre fois je t'ouvrirai mon âme :
Andromaque paraît.

SCÈNE IV

PYRRHUS, ANDROMAQUE, CÉPHISE

PYRRHUS.

Me cherchiez-vous, Madame ?
Un espoir si charmant me serait-il permis ?

ANDROMAQUE.

Je passais jusqu'aux lieux où l'on garde mon fils.   260
Puisqu'une fois le jour vous souffrez que je voie
Le seul bien qui me reste et d'Hector et de Troie,
J'allais, Seigneur, pleurer un moment avec lui :
Je ne l'ai point encore embrassé d'aujourd'hui.

PYRRHUS.

Ah ! Madame, les Grecs, si j'en crois leurs alarmes,   265
Vous donneront bientôt d'autres sujets de larmes.

ANDROMAQUE.

Et quelle est cette peur dont leur cœur est frappé,
Seigneur ?   Quelque Troyen vous est-il échappé ?

PYRRHUS.

Leur haine pour Hector n'est pas encore éteinte.
Ils redoutent son fils.

ANDROMAQUE.

Digne objet de leur crainte!   270
Un enfant malheureux, qui ne sait pas encor
Que Pyrrhus est son maître, et qu'il est fils d'Hector.

PYRRHUS.

Tel qu'il est, tous les Grecs demandent qu'il périsse,
Le fils d'Agamemnon vient hâter son supplice.

ANDROMAQUE.

Et vous prononcerez un arrêt si cruel?   275
Est-ce mon intérêt qui le rend criminel?
Hélas! on ne craint point qu'il venge un jour son père;
On craint qu'il n'essuyât les larmes de sa mère.
Il m'aurait tenu lieu d'un père et d'un époux;
Mais il me faut tout perdre, et toujours par vos coups.   280

PYRRHUS.

Madame, mes refus ont prévenu vos larmes.
Tous les Grecs m'ont déjà menacé de leurs armes;
Mais dussent-ils encore, en repassant les eaux,
Demander votre fils avec mille vaisseaux;
Coûtât-il tout le sang qu'Hélène a fait répandre;   285
Dussé-je après dix ans voir mon palais en cendre,
Je ne balance point, je vole à son secours:
Je défendrai sa vie aux dépens de mes jours.
Mais parmi ces périls où je cours pour vous plaire,
Me refuserez-vous un regard moins sévère?   290
Haï de tous les Grecs, pressé de tous côtés,
Me faudra-t-il combattre encor vos cruautés?

Je vous offre mon bras.   Puis-je espérer encore
Que vous accepterez un cœur qui vous adore ?
En combattant pour vous, me sera-t-il permis   295
De ne vous point compter parmi mes ennemis ?

ANDROMAQUE.

Seigneur, que faites-vous, et que dira la Grèce ?
Faut-il qu'un si grand cœur montre tant de faiblesse ?
Voulez-vous qu'un dessein si beau, si généreux
Passe pour le transport d'un esprit amoureux ?   300
Captive, toujours triste, importune à moi-même,
Pouvez-vous souhaiter qu'Andromaque vous aime ?
Quels charmes ont pour vous des yeux infortunés
Qu'à des pleurs éternels vous avez condamnés ?
Non, non, d'un ennemi respecter la misère,   305
Sauver des malheureux, rendre un fils à sa mère,
De cent peuples pour lui combattre la rigueur,
Sans me faire payer son salut de mon cœur,
Malgré moi, s'il le faut, lui donner un asile :
Seigneur, voilà des soins dignes du fils d'Achille.   310

PYRRHUS.

Hé quoi ? votre courroux n'a-t-il pas eu son cours ?
Peut-on haïr sans cesse ? et punit-on toujours ?
J'ai fait des malheureux, sans doute ; et la Phrygie
Cent fois de votre sang a vu ma main rougie.
Mais que vos yeux sur moi se sont bien exercés !   315
Qu'ils m'ont vendu bien cher les pleurs qu'ils ont versés !
De combien de remords m'ont-ils rendu la proie !
Je souffre tous les maux que j'ai faits devant Troie.

Vaincu, chargé de fers, de regrets consumé,
Brûlé de plus de feux que je n'en allumai, 320
Tant de soins, tant de pleurs, tant d'ardeurs inquiètes....
Hélas! fus-je jamais si cruel que vous l'êtes?
Mais enfin, tour à tour, c'est assez nous punir :
Nos ennemis communs devraient nous réunir.
Madame, dites-moi seulement que j'espère; 325
Je vous rends votre fils, et je lui sers de père ;
Je l'instruirai moi-même à venger les Troyens ;
J'irai punir les Grecs de vos maux et des miens.
Animé d'un regard, je puis tout entreprendre :
Votre Ilion encor peut sortir de sa cendre ; 330
Je puis, en moins de temps que les Grecs ne l'ont pris,
Dans ses murs relevés couronner votre fils.

ANDROMAQUE.

Seigneur, tant de grandeurs ne nous touchent plus guère :
Je les lui promettais tant qu'a vécu son père.
Non, vous n'espérez plus de nous revoir encor, 335
Sacrés murs, que n'a pu conserver mon Hector.
A de moindres faveurs des malheureux prétendent,
Seigneur : c'est un exil que mes pleurs vous demandent.
Souffrez que loin des Grecs, et même loin de vous,
J'aille cacher mon fils, et pleurer mon époux. 340
Votre amour contre nous allume trop de haine :
Retournez, retournez à la fille d'Hélène.

PYRRHUS.

Et le puis-je, Madame? Ah! que vous me gênez!
Comment lui rendre un cœur que vous me retenez?

Je sais que de mes vœux on lui promit l'empire ;   345
Je sais que pour régner elle vint dans l'Épire ;
Le sort vous y voulut l'une et l'autre amener :
Vous, pour porter des fers ; elle, pour en donner.
Cependant ai-je pris quelque soin de lui plaire ?
Et ne dirait-on pas, en voyant au contraire   350
Vos charmes tout-puissants, et les siens dédaignés,
Qu'elle est ici captive, et que vous y régnez ?
Ah ! qu'un seul des soupirs que mon cœur vous envoie,
S'il s'échappait vers elle, y porterait de joie !

ANDROMAQUE.

Et pourquoi vos soupirs seraient-ils repoussés ?   355
Aurait-elle oublié vos services passés ?
Troie, Hector, contre vous révoltent-ils son âme ?
Aux cendres d'un époux doit-elle enfin sa flamme ?
Et quel époux encore ! Ah ! souvenir cruel !
Sa mort seule a rendu votre père immortel.   360
Il doit au sang d'Hector tout l'éclat de ses armes,
Et vous n'êtes tous deux connus que par mes larmes.

PYRRHUS.

Hé bien, Madame, hé bien, il faut vous obéir :
Il faut vous oublier, ou plutôt vous haïr.
Oui, mes vœux ont trop loin poussé leur violence   365
Pour ne plus s'arrêter que dans l'indifférence.
Songez-y bien : il faut désormais que mon cœur,
S'il n'aime avec transport, haïsse avec fureur.
Je n'épargnerai rien dans ma juste colère :
Le fils me répondra des mépris de la mère ;   370

La Grèce le demande, et je ne prétends pas
Mettre toujours ma gloire à sauver des ingrats.

ANDROMAQUE.

Hélas! il mourra donc.   Il n'a pour sa défense
Que les pleurs de sa mère, et que son innocence.
Et peut-être après tout, en l'état où je suis,   375
Sa mort avancera la fin de mes ennuis.
Je prolongeais pour lui ma vie et ma misère;
Mais enfin sur ses pas j'irai revoir son père.
Ainsi tous trois, Seigneur, par vos soins réunis,
Nous vous ....

PYRRHUS.

          Allez, Madame, allez voir votre fils.   380
Peut-être, en le voyant, votre amour plus timide
Ne prendra pas toujours sa colère pour guide.
Pour savoir nos destins, j'irai vous retrouver.
Madame, en l'embrassant, songez à le sauver.

ACTE II

SCÈNE PREMIÈRE

HERMIONE, CLÉONE

HERMIONE.

Je fais ce que tu veux.   Je consens qu'il me voie :   385
Je lui veux bien encore accorder cette joie.
Pylade va bientôt conduire ici ses pas ;
Mais si je m'en croyais, je ne le verrais pas.

CLÉONE.

Et qu'est-ce que sa vue a pour vous de funeste ?
Madame, n'est-ce pas toujours le même Oreste   390
Dont vous avez cent fois souhaité le retour,
Et dont vous regrettiez la constance et l'amour ?

HERMIONE.

C'est cet amour payé de trop d'ingratitude
Qui me rend en ces lieux sa présence si rude.
Quelle honte pour moi, quel triomphe pour lui   395
De voir mon infortune égaler son ennui !
Est-ce là, dira-t-il, cette fière Hermione ?
Elle me dédaignait ; un autre l'abandonne.

L'ingrate, qui mettait son cœur à si haut prix,
Apprend donc à son tour à souffrir des mépris ?   400
Ah Dieux !

CLÉONE.

Ah ! dissipez ces indignes alarmes :
Il a trop bien senti le pouvoir de vos charmes.
Vous croyez qu'un amant vienne vous insulter ?
Il vous rapporte un cœur qu'il n'a pu vous ôter.
Mais vous ne dites point ce que vous mande un père.   405

HERMIONE.

Dans ses retardements si Pyrrhus persévère,
A la mort du Troyen s'il ne veut consentir,
Mon père avec les Grecs m'ordonne de partir.

CLÉONE.

Hé bien, Madame, hé bien ! écoutez donc Oreste.
Pyrrhus a commencé, faites au moins le reste.   410
Pour bien faire, il faudrait que vous le prévinssiez.
Ne m'avez-vous pas dit que vous le haïssiez ?

HERMIONE.

Si je le hais, Cléone !   Il y va de ma gloire,
Après tant de bontés dont il perd la mémoire.
Lui qui me fut si cher, et qui m'a pu trahir !   415
Ah ! je l'ai trop aimé pour ne le point haïr.

CLÉONE.

Fuyez-le donc, Madame ; et puisqu'on vous adore....

HERMIONE.

Ah ! laisse à ma fureur le temps de croître encore ;
Contre mon ennemi laisse-moi m'assurer :
Cléone, avec horreur je m'en veux séparer.   420
Il n'y travaillera que trop bien, l'infidèle !

CLÉONE.

Quoi ? vous en attendez quelque injure nouvelle ?
Aimer une captive, et l'aimer à vos yeux,
Tout cela n'a donc pu vous le rendre odieux ?
Après ce qu'il a fait, que saurait-il donc faire ?   425
Il vous aurait déplu, s'il pouvait vous déplaire.

HERMIONE.

Pourquoi veux-tu, cruelle, irriter mes ennuis ?
Je crains de me connaître en l'état où je suis.
De tout ce que tu vois tâche de ne rien croire ;
Crois que je n'aime plus, vante-moi ma victoire ;   430
Crois que dans son dépit mon cœur est endurci ;
Hélas ! et s'il se peut, fais-le-moi croire aussi.
Tu veux que je le fuie.   Hé bien ! rien ne m'arrête :
Allons.   N'envions plus son indigne conquête ;
Que sur lui sa captive étende son pouvoir.   435
Fuyons. . . Mais si l'ingrat rentrait dans son devoir !
Si la foi dans son cœur retrouvait quelque place !
S'il venait à mes pieds me demander sa grâce !
Si sous mes lois, Amour, tu pouvais l'engager !
S'il voulait ! . . . . Mais l'ingrat ne veut que m'outrager. 440
Demeurons toutefois pour troubler leur fortune ;
Prenons quelque plaisir à leur être importune ;

Ou le forçant de rompre un nœud si solennel,
Aux yeux de tous les Grecs rendons-le criminel.
J'ai déjà sur le fils attiré leur colère ;   445
Je veux qu'on vienne encor lui demander la mère.
Rendons-lui les tourments qu'elle me fait souffrir :
Qu'elle le perde, ou bien qu'il la fasse périr.

CLÉONE.

Vous pensez que des yeux toujours ouverts aux larmes
Se plaisent à troubler le pouvoir de vos charmes,   450
Et qu'un cœur accablé de tant de déplaisirs
De son persécuteur ait brigué les soupirs ?
Voyez si sa douleur en paraît soulagée.
Pourquoi donc les chagrins où son âme est plongée ?
Contre un amant qui plaît pourquoi tant de fierté ?   455

HERMIONE.

Hélas ! pour mon malheur, je l'ai trop écouté.
Je n'ai point du silence affecté le mystère :
Je croyais sans péril pouvoir être sincère ;
Et sans armer mes yeux d'un moment de rigueur,
Je n'ai pour lui parler consulté que mon cœur.   460
Et qui ne se serait comme moi déclarée
Sur la foi d'une amour si saintement jurée ?
Me voyait-il de l'œil qu'il me voit aujourd'hui ?
Tu t'en souviens encor, tout conspirait pour lui :
Ma famille vengée, et les Grecs dans la joie,   465
Nos vaisseaux tout chargés des dépouilles de Troie,
Les exploits de son père effacés par les siens,
Les feux que je croyais plus ardents que les miens,

Mon cœur, toi-même enfin de sa gloire éblouie,
Avant qu'il me trahît, vous m'avez tous trahie.　　　470
Mais c'en est trop, Cléone, et quel que soit Pyrrhus,
Hermione est sensible, Oreste a des vertus.
Il sait aimer du moins, et même sans qu'on l'aime ;
Et peut-être il saura se faire aimer lui-même.
Allons : qu'il vienne enfin.

CLÉONE.

Madame, le voici.　　　475

HERMIONE.

Ah ! je ne croyais pas qu'il fût si près d'ici.

SCÈNE II

HERMIONE, ORESTE, CLÉONE

HERMIONE.

Le croirai-je, Seigneur, qu'un reste de tendresse
Vous fasse ici chercher une triste princesse ?
Ou ne dois-je imputer qu'à votre seul devoir
L'heureux empressement qui vous porte à me voir ?　　　480

ORESTE.

Tel est de mon amour l'aveuglement funeste.
Vous le savez, Madame ; et le destin d'Oreste
Est de venir sans cesse adorer vos attraits,
Et de jurer toujours qu'il n'y viendra jamais.

Je sais que vos regards vont rouvrir mes blessures,   485
Que tous mes pas vers vous sont autant de parjures :
Je le sais, j'en rougis.   Mais j'atteste les Dieux,
Témoins de la fureur de mes derniers adieux,
Que j'ai couru partout où ma perte certaine
Dégageait mes serments et finissait ma peine.   490
J'ai mendié la mort chez des peuples cruels
Qui n'apaisaient leurs dieux que du sang des mortels :
Ils m'ont fermé leur temple ; et ces peuples barbares
De mon sang prodigué sont devenus avares.
Enfin je viens à vous, et je me vois réduit   495
A chercher dans vos yeux une mort qui me fuit.
Mon désespoir n'attend que leur indifférence :
Ils n'ont qu'à m'interdire un reste d'espérance,
Ils n'ont, pour avancer cette mort où je cours,
Qu'à me dire une fois ce qu'ils m'ont dit toujours.   500
Voilà, depuis un an, le seul soin qui m'anime.
Madame, c'est à vous de prendre une victime
Que les Scythes auraient dérobée à vos coups,
Si j'en avais trouvé d'aussi cruels que vous.

HERMIONE.

Quittez, Seigneur, quittez ce funeste langage.   505
A des soins plus pressants la Grèce vous engage.
Que parlez-vous du Scythe et de mes cruautés ?
Songez à tous ces rois que vous représentez.
Faut-il que d'un transport leur vengeance dépende ?
Est-ce le sang d'Oreste enfin qu'on vous demande ?   510
Dégagez-vous des soins dont vous êtes chargé.

3

ORESTE.

Les refus de Pyrrhus m'ont assez dégagé,
Madame : il me renvoie ; et quelque autre puissance
Lui fait du fils d'Hector embrasser la défense.

HERMIONE.

L'infidèle !

ORESTE.

       Ainsi donc, tout prêt à le quitter,   515
Sur mon propre destin je viens vous consulter.
Déjà même je crois entendre la réponse
Qu'en secret contre moi votre haine prononce.

HERMIONE.

Hé quoi ? toujours injuste en vos tristes discours,
De mon inimitié vous plaindrez-vous toujours ?   520
Quelle est cette rigueur tant de fois alléguée ?
J'ai passé dans l'Épire, où j'étais reléguée :
Mon père l'ordonnait.   Mais qui sait si depuis
Je n'ai point en secret partagé vos ennuis ?
Pensez-vous avoir seul éprouvé des alarmes ?   525
Que l'Épire jamais n'ait vu couler mes larmes ?
Enfin qui vous a dit que malgré mon devoir
Je n'ai pas quelquefois souhaité de vous voir ?

ORESTE.

Souhaité de me voir ! Ah ! divine princesse . . . .
Mais, de grâce, est-ce à moi que ce discours s'adresse ? 530
Ouvrez vos yeux : songez qu'Oreste est devant vous,
Oreste, si longtemps l'objet de leur courroux.

HERMIONE.

Oui, c'est vous dont l'amour, naissant avec leurs charmes,
Leur apprit le premier le pouvoir de leurs armes ;
Vous que mille vertus me forçaient d'estimer ;   535
Vous que j'ai plaint, enfin que je voudrais aimer.

ORESTE.

Je vous entends.   Tel est mon partage funeste :
Le cœur est pour Pyrrhus, et les vœux pour Oreste.

HERMIONE.

Ah ! ne souhaitez pas le destin de Pyrrhus :
Je vous haïrais trop.

ORESTE.

                    Vous m'en aimeriez plus.   540
Ah ! que vous me verriez d'un regard bien contraire !
Vous me voulez aimer, et je ne puis vous plaire ;
Et l'amour seul alors se faisant obéir,
Vous m'aimeriez, Madame, en me voulant haïr.
O Dieux ! tant de respects, une amitié si tendre   545
Que de raisons pour moi, si vous pouviez m'entendre !
Vous seule pour Pyrrhus disputez aujourd'hui,
Peut-être malgré vous, sans doute malgré lui.
Car enfin il vous hait ; son âme ailleurs éprise
N'a plus . . . .

HERMIONE.

                    Qui vous l'a dit, Seigneur, qu'il me méprise ? 550
Ses regards, ses discours, vous l'ont-ils donc appris ?
Jugez-vous que ma vue inspire des mépris,

Qu'elle allume en un cœur des feux si peu durables ?
Peut-être d'autres yeux me sont plus favorables.

ORESTE.

Poursuivez : il est beau de m'insulter ainsi.   555
Cruelle, c'est donc moi qui vous méprise ici ?
Vos yeux n'ont pas assez éprouvé ma constance ?
Je suis donc un témoin de leur peu de puissance ?
Je les ai méprisés ? Ah ! qu'ils voudraient bien voir
Mon rival, comme moi, mépriser leur pouvoir !   560

HERMIONE.

Que m'importe, Seigneur, sa haine ou sa tendresse ?
Allez contre un rebelle armer toute la Grèce ;
Rapportez-lui le prix de sa rébellion ;
Qu'on fasse de l'Épire un second Ilion.
Allez.   Après cela direz-vous que je l'aime ?   565

ORESTE.

Madame, faites plus, et venez-y vous-même.
Voulez-vous demeurer pour otage en ces lieux ?
Venez dans tous les cœurs faire parler vos yeux.
Faisons de notre haine une commune attaque.

HERMIONE.

Mais, Seigneur, cependant s'il épouse Andromaque ?   570

ORESTE.

Hé ! Madame.

HERMIONE.

Songez quelle honte pour nous
Si d'une Phrygienne il devenait l'époux !

ORESTE.

Et vous le haïssez ?   Avouez-le, Madame,
L'amour n'est pas un feu qu'on renferme en une âme.
Tout nous trahit, la voix, le silence, les yeux ;   575
Et les feux mal couverts n'en éclatent que mieux.

HERMIONE.

Seigneur, je le vois bien, votre âme prévenue
Répand sur mes discours le venin qui la tue,
Toujours dans mes raisons cherche quelque détour,
Et croit qu'en moi la haine est un effort d'amour.   580
Il faut donc m'expliquer : vous agirez ensuite.
Vous savez qu'en ces lieux mon devoir m'a conduite ;
Mon devoir m'y retient, et je n'en puis partir
Que mon père ou Pyrrhus ne m'en fasse sortir.
De la part de mon père allez lui faire entendre   585
Que l'ennemi des Grecs ne peut être son gendre :
Du Troyen ou de moi faites-le décider ;
Qu'il songe qui des deux il veut rendre ou garder ;
Enfin qu'il me renvoie, ou bien qu'il vous le livre.
Adieu.   S'il y consent, je suis prête à vous suivre.   590

SCENE III

ORESTE, seul

Oui, oui, vous me suivrez, n'en doutez nullement :
Je vous réponds déjà de son consentement.
Je ne crains pas enfin que Pyrrhus la retienne :
Il n'a devant les yeux que sa chère Troyenne ;
Tout autre objet le blesse ; et peut-être aujourd'hui   595
Il n'attend qu'un prétexte à l'éloigner de lui.
Nous n'avons qu'à parler : c'en est fait.   Quelle joie
D'enlever à l'Épire une si belle proie !
Sauve tout ce qui reste et de Troie et d'Hector,
Garde son fils, sa veuve, et mille autres encor,   600
Épire : c'est assez qu'Hermione rendue
Perde à jamais tes bords et ton prince de vue.
Mais un heureux destin le conduit en ces lieux.
Parlons.   A tant d'attraits, Amour, ferme ses yeux !

SCÈNE IV

PYRRHUS, ORESTE, PHŒNIX

PYRRHUS.

Je vous cherchais, Seigneur.   Un peu de violence   605
M'a fait de vos raisons combattre la puissance,
Je l'avoue ; et depuis que je vous ai quitté,
J'en ai senti la force et connu l'équité.
J'ai songé, comme vous, qu'à la Grèce, à mon père,
A moi-même, en un mot, je devenais contraire ;   610

Que je relevais Troie, et rendais imparfait
Tout ce qu'a fait Achille et tout ce que j'ai fait.
Je ne condamne plus un courroux légitime,
Et l'on vous va, Seigneur, livrer votre victime.

ORESTE.

Seigneur, par ce conseil prudent et rigoureux,   615
C'est acheter la paix du sang d'un malheureux.

PYRRHUS.

Oui. Mais je veux, Seigneur, l'assurer davantage :
D'une éternelle paix Hermione est le gage ;
Je l'épouse.   Il semblait qu'un spectacle si doux
N'attendît en ces lieux qu'un témoin tel que vous.   620
Vous y représentez tous les Grecs et son père,
Puisqu'en vous Ménélas voit revivre son frère.
Voyez-la donc. Allez.   Dites-lui que demain
J'attends, avec la paix, son cœur de votre main.

ORESTE.

Ah Dieux !   625

SCÈNE V

PYRRHUS, PHŒNIX

PYRRHUS.

Hé bien, Phœnix, l'amour est-il le maître ?
Tes yeux refusent-ils encor de me connaître ?

PHŒNIX.

Ah ! je vous reconnais ; et ce juste courroux,
Ainsi qu'à tous les Grecs, Seigneur, vous rend à vous.
Ce n'est plus le jouet d'une flamme servile :
C'est Pyrrhus, c'est le fils et le rival d'Achille,   630
Que la gloire à la fin ramène sous ses lois,
Qui triomphe de Troie une seconde fois.

PYRRHUS.

Dis plutôt qu'aujourd'hui commence ma victoire.
D'aujourd'hui seulement je jouis de ma gloire ;
Et mon cœur, aussi fier que tu l'as vu soumis,   635
Croit avoir en l'amour vaincu mille ennemis.
Considère, Phœnix, les troubles que j'évite,
Quelle foule de maux l'amour traîne à sa suite,
Que d'amis, de devoirs j'allais sacrifier,
Quels périls. . . . Un regard m'eût tout fait oublier.   640
Tous les Grecs conjurés fondaient sur un rebelle.
Je trouvais du plaisir à me perdre pour elle.

PHŒNIX.

Oui, je bénis, Seigneur, l'heureuse cruauté
Qui vous rend. . . .

PYRRHUS.

           Tu l'as vu, comme elle m'a traité.
Je pensais, en voyant sa tendresse alarmée,   645
Que son fils me la dût renvoyer désarmée.
J'allais voir le succès de ses embrassements :
Je n'ai trouvé que pleurs mêlés d'emportements.

Sa misère l'aigrit ; et toujours plus farouche,
Cent fois le nom d'Hector est sorti de sa bouche.   650
Vainement à son fils j'assurais mon secours ;
« C'est Hector, disait-elle en l'embrassant toujours ;
Voilà ses yeux, sa bouche, et déjà son audace ;
C'est lui-même, c'est toi, cher époux, que j'embrasse.»
Et quelle est sa pensée ?   Attend-elle en ce jour   655
Que je lui laisse un fils pour nourrir son amour ?

PHŒNIX.

Sans doute.   C'est le prix que vous gardait l'ingrate.
Mais laissez-la, Seigneur.

PYRRHUS.

                             Je vois ce qui la flatte.
Sa beauté la rassure ; et malgré mon courroux,
L'orgueilleuse m'attend encore à ses genoux.   660
Je la verrais aux miens, Phœnix, d'un œil tranquille.
Elle est veuve d'Hector, et je suis fils d'Achille :
Trop de haine sépare Andromaque et Pyrrhus.

PHŒNIX

Commencez donc, Seigneur, à ne m'en parler plus.   665
Allez voir Hermione ; et content de lui plaire,
Oubliez à ses pieds jusqu'à votre colère.
Vous-même à cet hymen venez la disposer.
Est-ce sur un rival qu'il s'en faut reposer ?
Il ne l'aime que trop.

PYRRHUS.

Crois-tu, si je l'épouse,
Qu'Andromaque en son cœur n'en sera pas jalouse ?   670

PHŒNIX.

Quoi ? toujours Andromaque occupe votre esprit ?
Que vous importe, ô Dieux ! sa joie ou son dépit ?
Quel charme, malgré vous, vers elle vous attire ?

PYRRHUS.

Non, je n'ai pas bien dit tout ce qu'il lui faut dire :
Ma colère à ses yeux n'a paru qu'à demi ;   675
Elle ignore à quel point je suis son ennemi.
Retournons-y. Je veux la braver à sa vue,
Et donner à ma haine une libre étendue.
Viens voir tous ses attraits, Phœnix, humiliés.
Allons.

PHŒNIX.

Allez, Seigneur, vous jeter à ses pieds.   680
Allez, en lui jurant que votre âme l'adore,
A de nouveaux mépris l'encourager encore.

PYRRHUS.

Je le vois bien, tu crois que prêt à l'excuser
Mon cœur court après elle, et cherche à s'apaiser.

PHŒNIX.

Vous aimez : c'est assez.

PYRRHUS.

                          Moi l'aimer ? une ingrate 685
Qui me hait d'autant plus que mon amour la flatte ?
Sans parents, sans amis, sans espoir que sur moi,
Je puis perdre son fils ; peut-être je le doi.
Étrangère . . . . que dis-je ? esclave dans l'Épire,
Je lui donne son fils, mon âme, mon empire ;   690
Et je ne puis gagner dans son perfide cœur
D'autre rang que celui de son persécuteur ?
Non, non, je l'ai juré, ma vengeance est certaine :
Il faut bien une fois justifier sa haine.
J'abandonne son fils. Que de pleurs vont couler !   695
De quel nom sa douleur me va-t-elle appeler !
Quel spectacle pour elle aujourd'hui se dispose !
Elle en mourra, Phœnix, et j'en serai la cause.
C'est lui mettre moi-même un poignard dans le sein.

PHŒNIX.

Et pourquoi donc en faire éclater le dessein ?   700
Que ne consultiez-vous tantôt votre faiblesse ?

PYRRHUS.

Je t'entends. Mais excuse un reste de tendresse.
Crains-tu pour ma colère un si faible combat ?
D'un amour qui s'éteint c'est le dernier éclat.
Allons. A tes conseils, Phœnix, je m'abandonne.   705
Faut-il livrer son fils ? faut-il voir Hermione ?

PHŒNIX.

Oui, voyez-la, Seigneur, et par des vœux soumis
Protestez lui....

PYRRHUS.

Faisons tout ce que j'ai promis.

ACTE III

SCÈNE PREMIÈRE

ORESTE, PYLADE

PYLADE.

Modérez donc, Seigneur, cette fureur extrême.
Je ne vous connais plus : vous n'êtes plus vous-même.   710
Souffrez ....

ORESTE.

          Non, tes conseils ne sont plus de saison,
Pylade, je suis las d'écouter la raison.
C'est traîner trop longtemps ma vie et mon supplice :
Il faut que je l'enlève, ou bien que je périsse.
Le dessein en est pris, je le veux achever.   715
Oui, je le veux.

PYLADE.

      Hé bien, il la faut enlever :
J'y consens.   Mais songez cependant où vous êtes.
Que croira-t-on de vous, à voir ce que vous faites ?
Dissimulez : calmez ce transport inquiet ;
Commandez à vos yeux de garder le secret.   720
Ces gardes, cette cour, l'air qui vous environne,
Tout dépend de Pyrrhus, et surtout Hermione.

A ses regards surtout cachez votre courroux.
O Dieux ! en cet état pourquoi la cherchiez-vous ?

ORESTE.

Que sais-je ?   De moi-même étais-je alors le maître ?   725
La fureur m'emportait, et je venais peut-être
Menacer à la fois l'ingrate et son amant.

PYLADE.

Et quel était le fruit de cet emportement ?

ORESTE.

Et quelle âme, dis-moi, ne serait éperdue
Du coup dont ma raison vient d'être confondue ?   730
Il épouse, dit-il, Hermione demain ;
Il veut, pour m'honorer, la tenir de ma main.
Ah ! plutôt cette main dans le sang du barbare . . . .

PYLADE.

Vous l'accusez, Seigneur, de ce destin bizarre.
Cependant, tourmenté de ses propres desseins,   735
Il est peut-être à plaindre autant que je vous plains.

ORESTE.

Non, non ; je le connais, mon désespoir le flatte ;
Sans moi, sans mon amour, il dédaignait l'ingrate ;
Ses charmes jusque-là n'avaient pu le toucher :
Le cruel ne la prend que pour me l'arracher.   740

Ah Dieux! c'en était fait : Hermione gagnée
Pour jamais de sa vue allait être éloignée.
Son cœur, entre l'amour et le dépit confus,
Pour se donner à moi n'attendait qu'un refus ;
Ses yeux s'ouvraient, Pylade ; elle écoutait Oreste,   745
Lui parlait, le plaignait.   Un mot eût fait le reste.

PYLADE.

Vous le croyez.

ORESTE.

                    Hé quoi ? ce courroux enflammé
Contre un ingrat....

PYLADE.

                    Jamais il ne fut plus aimé.
Pensez-vous, quand Pyrrhus vous l'aurait accordée,
Qu'un prétexte tout prêt ne l'eût pas retardée ?   750
M'en croirez-vous ?   Lassé de ses trompeurs attraits,
Au lieu de l'enlever, fuyez-la pour jamais.
Quoi ? votre amour se veut charger d'une furie
Qui vous détestera, qui toute votre vie
Regrettant un hymen tout prêt à s'achever,   755
Voudra....

ORESTE.

                    C'est pour cela que je veux l'enlever.
Tout lui rirait, Pylade ; et moi, pour mon partage,
Je n'emporterais donc qu'une inutile rage ?
J'irais loin d'elle encor tâcher de l'oublier ?
Non, non, à mes tourments je veux l'associer.   760

C'est trop gémir tout seul. Je suis las qu'on me plaigne.
Je prétends qu'à mon tour l'inhumaine me craigne,
Et que ses yeux cruels, à pleurer condamnés,
Me rendent tous les noms que je leur ai donnés.

PYLADE.

Voilà donc le succès qu'aura votre ambassade :   765
Oreste ravisseur !

ORESTE.

                Et qu'importe, Pylade ?
Quand nos États vengés jouiront de mes soins,
L'ingrate de mes pleurs jouira-t-elle moins ?
Et que me servira que la Grèce m'admire,
Tandis que je serai la fable de l'Épire ?   770
Que veux-tu ?   Mais, s'il faut ne te rien déguiser,
Mon innocence enfin commence à me peser.
Je ne sais de tout temps quelle injuste puissance
Laisse le crime en paix et poursuit l'innocence.
De quelque part sur moi que je tourne les yeux,   775
Je ne vois que malheurs qui condamnent les Dieux.
Méritons leur courroux, justifions leur haine,
Et que le fruit du crime en précède la peine.
Mais toi, par quelle erreur veux-tu toujours sur toi
Détourner un courroux qui ne cherche que moi ?   780
Assez et trop longtemps mon amitié t'accable :
Évite un malheureux, abandonne un coupable.
Cher Pylade, crois-moi, ta pitié te séduit.
Laisse-moi des périls dont j'attends tout le fruit.
Porte aux Grecs cet enfant que Pyrrhus m'abandonne. 785
Va-t'en.

PYLADE.

Allons, Seigneur, enlevons Hermione.
Au travers des périls un grand cœur se fait jour.
Que ne peut l'amitié conduite par l'amour ?
Allons de tous vos Grecs encourager le zèle.
Nos vaisseaux sont tout prêts, et le vent nous appelle.   790
Je sais de ce palais tous les détours obscurs ;
Vous voyez que la mer en vient battre les murs ;
Et cette nuit, sans peine, une secrète voie
Jusqu'en votre vaisseau conduira votre proie.

ORESTE.

J'abuse, cher ami, de ton trop d'amitié.   795
Mais pardonne à des maux dont toi seul as pitié ;
Excuse un malheureux qui perd tout ce qu'il aime,
Que tout le monde hait, et qui se hait lui-même.
Que ne puis-je à mon tour dans un sort plus heureux ...

PYLADE.

Dissimulez, Seigneur : c'est tout ce que je veux.   800
Gardez qu'avant le coup votre dessein n'éclate :
Oubliez jusque-là qu'Hermione est ingrate ;
Oubliez votre amour.   Elle vient, je la voi.

ORESTE.

Va-t'en.   Réponds-moi d'elle, et je réponds de moi.
    4

SCÈNE II

Hermione, Oreste, Cléone

ORESTE.

Hé bien ! mes soins vous ont rendu votre conquête.   805
J'ai vu Pyrrhus, Madame, et votre hymen s'apprête.

HERMIONE.

On le dit ; et de plus on vient de m'assurer
Que vous ne me cherchiez que pour m'y préparer.

ORESTE.

Et votre âme à ses vœux ne sera pas rebelle ?

HERMIONE.

Qui l'eût cru, que Pyrrhus ne fût pas infidèle ?   810
Que sa flamme attendrait si tard pour éclater,
Qu'il reviendrait à moi quand je l'allais quitter ?
Je veux croire avec vous qu'il redoute la Grèce,
Qu'il suit son intérêt plutôt que sa tendresse,
Que mes yeux sur votre âme étaient plus absolus.   815

ORESTE.

Non, Madame : il vous aime, et je n'en doute plus.
Vos yeux ne font-ils pas tout ce qu'ils veulent faire ?
Et vous ne vouliez pas sans doute lui déplaire.

HERMIONE.

Mais que puis-je, Seigneur ?   On a promis ma foi.
Lui ravirai-je un bien qu'il ne tient pas de moi ?   820
L'amour ne règle pas le sort d'une princesse : .
La gloire d'obéir est tout ce qu'on nous laisse.
Cependant je partais ; et vous avez pu voir
Combien je relâchais pour vous de mon devoir.

ORESTE.

Ah ! que vous saviez bien, cruelle. . . . Mais, Madame, 825
Chacun peut à son choix disposer de son âme.
La vôtre était à vous.   J'espérais ; mais enfin
Vous l'avez pu donner sans me faire un larcin.
Je vous accuse aussi bien moins que la fortune.
Et pourquoi vous lasser d'une plainte importune ?   830
Tel est votre devoir, je l'avoue ; et le mien
Est de vous épargner un si triste entretien.

SCÈNE III

HERMIONE, CLÉONE

HERMIONE.

Attendais-tu, Cléone, un courroux si modeste ?

CLÉONE.

La douleur qui se tait n'en est que plus funeste.
Je le plains : d'autant plus qu'auteur de son ennui,   835
Le coup qui l'a perdu n'est parti que de lui.

Comptez depuis quel temps votre hymen se prépare :
Il a parlé, Madame, et Pyrrhus se déclare.

HERMIONE.

Tu crois que Pyrrhus craint ?   Et que craint-il encor ?
Des peuples qui dix ans ont fui devant Hector,   840
Qui cent fois effrayés de l'absence d'Achille,
Dans leurs vaisseaux brûlants ont cherché leur asile,
Et qu'on verrait encor, sans l'appui de son fils,
Redemander Hélène aux Troyens impunis ?
Non, Cléone, il n'est point ennemi de lui-même ;   845
Il veut tout ce qu'il fait ; et s'il m'épouse, il m'aime.
Mais qu'Oreste à son gré m'impute ses douleurs ;
N'avons-nous d'entretien que celui de ses pleurs ?
Pyrrhus revient à nous.   Hé bien ! chère Cléone,
Conçois-tu les transports de l'heureuse Hermione ?   850
Sais-tu quel est Pyrrhus ?   T'es-tu fait raconter
Le nombre des exploits. . . . Mais qui les peut compter ?
Intrépide, et partout suivi de la victoire,
Charmant, fidèle enfin, rien ne manque à sa gloire.
Songe. . . .

CLÉONE.

     Dissimulez.   Votre rivale en pleurs   855
Vient à vos pieds, sans doute, apporter ses douleurs.

HERMIONE.

Dieux ! ne puis-je à ma joie abandonner mon âme ?
Sortons : que lui dirais-je ?

SCÈNE IV

ANDROMAQUE, HERMIONE, CLÉONE, CÉPHISE

ANDROMAQUE.

                      Où fuyez-vous, Madame?
N'est-ce point à vos yeux un spectacle assez doux
Que la veuve d'Hector pleurante à vos genoux?   860
Je ne viens point ici, par de jalouses larmes,
Vous envier un cœur qui se rend à vos charmes.
Par une main cruelle, hélas! j'ai vu percer
Le seul où mes regards prétendaient s'adresser.
Ma flamme par Hector fut jadis allumée;   865
Avec lui dans la tombe elle s'est enfermée.
Mais il me reste un fils.   Vous saurez quelque jour,
Madame, pour un fils jusqu'où va notre amour;
Mais vous ne saurez pas, du moins je le souhaite,
En quel trouble mortel son intérêt nous jette,   870
Lorsque de tant de biens qui pouvaient nous flatter,
C'est le seul qui nous reste, et qu'on veut nous l'ôter.
Hélas! lorsque lassés de dix ans de misère,
Les Troyens en courroux menaçaient votre mère,
J'ai su de mon Hector lui procurer l'appui.   875
Vous pouvez sur Pyrrhus ce que j'ai pu sur lui.
Que craint-on d'un enfant qui survit à sa perte?
Laissez-moi le cacher en quelque île déserte.
Sur les soins de sa mère on peut s'en assurer,
Et mon fils avec moi n'apprendra qu'à pleurer.   880

HERMIONE.

Je conçois vos douleurs.   Mais un devoir austère,
Quand mon père a parlé, m'ordonne de me taire.
C'est lui qui de Pyrrhus fait agir le courroux.
S'il faut fléchir Pyrrhus, qui le peut mieux que vous?
Vos yeux assez longtemps ont régné sur son âme.   885
Faites-le prononcer : j'y souscrirai, Madame.

SCÈNE V

ANDROMAQUE, CÉPHISE

ANDROMAQUE.

Quel mépris la cruelle attache à ses refus !

CÉPHISE.

Je croirais ses conseils, et je verrais Pyrrhus.
Un regard confondrait Hermione et la Grèce. . . .
Mais lui-même il vous cherche.

SCÈNE VI

PYRRHUS, ANDROMAQUE, PHŒNIX, CÉPHISE

PYRRHUS, à Phœnix.

                    Où donc est la princesse ? 890
Ne m'avais-tu pas dit qu'elle était en ces lieux ?

PHŒNIX.

Je le croyais.

ANDROMAQUE, à Céphise.

Tu vois le pouvoir de mes yeux.

PYRRHUS.

Que dit-elle, Phœnix ?

ANDROMAQUE.

Hélas ! tout m'abandonne.

PHŒNIX.

Allons, Seigneur, marchons sur les pas d'Hermione.

CÉPHISE.

Qu'attendez-vous, rompez ce silence obstiné.   895

ANDROMAQUE.

Il a promis mon fils.

CÉPHISE.

Il ne l'a pas donné.

ANDROMAQUE.

Non, non, j'ai beau pleurer, sa mort est résolue.

PYRRHUS.

Daigne-t-elle sur nous tourner au moins la vue ?
Quel orgueil !

ANDROMAQUE.

Je ne fais que l'irriter encor.
Sortons.

PYRRHUS.

Allons aux Grecs livrer le fils d'Hector.   900

ANDROMAQUE.

Ah ! Seigneur, arrêtez ! Que prétendez-vous faire ?
Si vous livrez le fils, livrez-leur donc la mère.
Vos serments m'ont tantôt juré tant d'amitié !
Dieux ! ne pourrai-je au moins toucher votre pitié ?
Sans espoir de pardon m'avez-vous condamnée ?   905

PYRRHUS.

Phœnix vous le dira, ma parole est donnée.

ANDROMAQUE.

Vous qui braviez pour moi tant de périls divers !

PYRRHUS.

J'étais aveugle alors : mes yeux se sont ouverts.
Sa grâce à vos désirs pouvait être accordée ;
Mais vous ne l'avez pas seulement demandée.   910
C'en est fait.

ANDROMAQUE.

Ah ! Seigneur, vous entendiez assez
Des soupirs qui craignaient de se voir repoussés.

Pardonnez à l'éclat d'une illustre fortune
Ce reste de fierté qui craint d'être importune.
Vous ne l'ignorez pas : Andromaque sans vous   915
N'aurait jamais d'un maître embrassé les genoux.

PYRRHUS.

Non, vous me haïssez ; et dans le fond de l'âme
Vous craignez de devoir quelque chose à ma flamme.
Ce fils même, ce fils, l'objet de tant de soins,
Si je l'avais sauvé, vous l'en aimeriez moins.   920
La haine, le mépris, contre moi tout s'assemble ;
Vous me haïssez plus que tous les Grecs ensemble.
Jouissez à loisir d'un si noble courroux.
Allons, Phœnix.

ANDROMAQUE.

Allons rejoindre mon époux.

CÉPHISE.

Madame. . . .

ANDROMAQUE.

          Et que veux-tu que je lui dise encore ?   925
Auteur de tous mes maux, crois-tu qu'il les ignore ?
Seigneur, voyez l'état où vous me réduisez.
J'ai vu mon père mort, et nos murs embrasés ;
J'ai vu trancher les jours de ma famille entière,
Et mon époux sanglant traîné sur la poussière,   930
Son fils, seul avec moi, réservé pour les fers.
Mais que ne peut un fils ?   Je respire, je sers.
J'ai fait plus : je me suis quelquefois consolée
Qu'ici, plutôt qu'ailleurs, le sort m'eût exilée ;

Qu'heureux dans son malheur, le fils de tant de rois,   935
Puisqu'il devait servir, fût tombé sous vos lois.
J'ai cru que sa prison deviendrait son asile.
Jadis Priam soumis fut respecté d'Achille :
J'attendais de son fils encor plus de bonté.
Pardonne, cher Hector, à ma crédulité.   940
Je n'ai pu soupçonner ton ennemi d'un crime ;
Malgré lui-même enfin je l'ai cru magnanime.
Ah ! s'il l'était assez pour nous laisser du moins
Au tombeau qu'à ta cendre ont élevé mes soins,
Et que finissant là ma haine et nos misères,   945
Il ne séparât point des dépouilles si chères !

PYRRHUS.

Va m'attendre, Phœnix.

SCÈNE VII

PYRRHUS, ANDROMAQUE, CÉPHISE

PYRRHUS continue.

Madame, demeurez.
On peut vous rendre encor ce fils que vous pleurez.
Oui, je sens à regret qu'en excitant vos larmes
Je ne fais contre moi que vous donner des armes.   950
Je croyais apporter plus de haine en ces lieux.
Mais, Madame, du moins tournez vers moi les yeux :
Voyez si mes regards sont d'un juge sévère,
S'ils sont d'un ennemi qui cherche à vous déplaire.

Pourquoi me forcez-vous vous-même à vous trahir ?   955
Au nom de votre fils, cessons de nous haïr.
A le sauver enfin c'est moi qui vous convie.
Faut-il que mes soupirs vous demandent sa vie ?
Faut-il qu'en sa faveur j'embrasse vos genoux ?
Pour la dernière fois, sauvez-le, sauvez-vous.   960
Je sais de quels serments je romps pour vous les chaînes,
Combien je vais sur moi faire éclater de haines.
Je renvoie Hermione, et je mets sur son front,
Au lieu de ma couronne, un éternel affront.
Je vous conduis au temple où son hymen s'apprête ;   965
Je vous ceins du bandeau préparé pour sa tête.
Mais ce n'est plus, Madame, une offre à dédaigner :
Je vous le dis, il faut ou périr ou régner.
Mon cœur, désespéré d'un an d'ingratitude,
Ne peut plus de son sort souffrir l'incertitude.   970
C'est craindre, menacer et gémir trop longtemps.
Je meurs si je vous perds, mais je meurs si j'attends.
Songez-y : je vous laisse ; et je viendrai vous prendre
Pour vous mener au temple, où ce fils doit m'attendre ;
Et là vous me verrez, soumis ou furieux,   975
Vous couronner, Madame, ou le perdre à vos yeux.

SCÈNE VIII

ANDROMAQUE, CÉPHISE

CÉPHISE.

Je vous l'avais prédit, qu'en dépit de la Grèce,
De votre sort encor vous seriez la maîtresse.

ANDROMAQUE.

Hélas ! de quel effet tes discours sont suivis !
Il ne me restait plus qu'à condamner mon fils.   980

CÉPHISE.

Madame, à votre époux c'est être assez fidèle :
Trop de vertu pourrait vous rendre criminelle.
Lui-même il porterait votre âme à la douceur.

ANDROMAQUE.

Quoi ? je lui donnerais Pyrrhus pour successeur ?

CÉPHISE.

Ainsi le veut son fils, que les Grecs vous ravissent.   985
Pensez-vous qu'après tout ses mânes en rougissent ;
Qu'il méprisât, Madame, un roi victorieux
Qui vous fait remonter au rang de vos aïeux,
Qui foule aux pieds pour vous vos vainqueurs en colère,
Qui ne se souvient plus qu'Achille était son père,   990
Qui dément ses exploits et les rend superflus ?

ANDROMAQUE.

Dois-je les oublier, s'il ne m'en souvient plus ?
Dois-je oublier Hector privé de funérailles,
Et traîné sans honneur autour de nos murailles ?
Dois-je oublier son père à mes pieds renversé,   995
Ensanglantant l'autel qu'il tenait embrassé ?
Songe, songe, Céphise, à cette nuit cruelle
Qui fut pour tout un peuple une nuit éternelle.

Figure-toi Pyrrhus, les yeux étincelants,
Entrant à la lueur de nos palais brûlants,   1000
Sur tous mes frères morts se faisant un passage,
Et de sang tout couvert échauffant le carnage.
Songe aux cris des vainqueurs, songe aux cris des mourants,
Dans la flamme étouffés, sous le fer expirants,
Peins-toi dans ces horreurs Andromaque éperdue :   1005
Voilà comme Pyrrhus vint s'offrir à ma vue ;
Voilà par quels exploits il sut se couronner ;
Enfin voilà l'époux que tu me veux donner.
Non, je ne serai point complice de ses crimes ;
Qu'il nous prenne, s'il veut, pour dernières victimes.   1010
Tous mes ressentiments lui seraient asservis.

CÉPHISE.

Hé bien ! allons donc voir expirer votre fils :
On n'attend plus que vous.   Vous frémissez, Madame !

ANDROMAQUE.

Ah ! de quel souvenir viens-tu frapper mon âme !
Quoi ? Céphise, j'irai voir expirer encor   1015
Ce fils, ma seule joie, et l'image d'Hector :
Ce fils, que de sa flamme il me laissa pour gage !
Hélas ! je m'en souviens, le jour que son courage
Lui fit chercher Achille, ou plutôt le trépas,
Il demanda son fils, et le prit dans ses bras :   1020
« Chère épouse, dit-il en essuyant mes larmes,
J'ignore quel succès le sort garde à mes armes ;
Je te laisse mon fils pour gage de ma foi :
S'il me perd, je prétends qu'il me retrouve en toi.

Si d'un heureux hymen la mémoire t'est chère,   1025
Montre au fils à quel point tu chérissais le père.»
Et je puis voir répandre un sang si précieux?
Et je laisse avec lui périr tous ses aïeux?
Roi barbare, faut-il que mon crime l'entraîne?
Si je te hais, est-il coupable de ma haine?   1030
T'a-t-il de tous les siens reproché le trépas?
S'est-il plaint à tes yeux des maux qu'il ne sent pas?
Mais cependant, mon fils, tu meurs, si je n'arrête
Le fer que le cruel tient levé sur ta tête.
Je l'en puis détourner, et je t'y vais offrir?   1035
Non, tu ne mourras point: je ne le puis souffrir.
Allons trouver Pyrrhus.   Mais non, chère Céphise,
Va le trouver pour moi.

CÉPHISE.

                    Que faut-il que je dise?

ANDROMAQUE.

Dis-lui que de mon fils l'amour est assez fort....
Crois-tu que dans son cœur il ait juré sa mort?   1040
L'amour peut-il si loin pousser sa barbarie?

CÉPHISE.

Madame, il va bientôt revenir en furie.

ANDROMAQUE.

Hé bien! va l'assurer....

CÉPHISE.

                    De quoi? de votre foi?

ANDROMAQUE.

Hélas ! pour la promettre est-elle encore à moi ?
O cendres d'un époux ! ô Troyens ! ô mon père !   1045
O mon fils, que tes jours coûtent cher à ta mère !
Allons.

CÉPHISE.

Où donc, Madame ? et que résolvez-vous ?

ANDROMAQUE.

Allons sur son tombeau consulter mon époux.

ACTE IV

———

SCÈNE PREMIÈRE

ANDROMAQUE, CÉPHISE

CÉPHISE.

Ah ! je n'en doute point : c'est votre époux, Madame,
C'est Hector qui produit ce miracle en votre âme.   1050
Il veut que Troie encor se puisse relever
Avec cet heureux fils qu'il vous fait conserver.
Pyrrhus vous l'a promis.   Vous venez de l'entendre,
Madame : il n'attendait qu'un mot pour vous le rendre,
Croyez-en ses transports : père, sceptre, alliés,   1055
Content de votre cœur, il met tout à vos pieds.
Sur lui, sur tout son peuple il vous rend souveraine.
Est-ce là ce vainqueur digne de tant de haine ?
Déjà contre les Grecs plein d'un noble courroux,
Le soin de votre fils le touche autant que vous :   1060
Il prévient leur fureur, il lui laisse sa garde ;
Pour ne pas l'exposer, lui-même il se hasarde.
Mais tout s'apprête au temple, et vous avez promis.

ANDROMAQUE.

Oui, je m'y trouverai. Mais allons voir mon fils.

64

CÉPHISE.

Madame, qui vous presse ? Il suffit que sa vue   1065
Désormais à vos yeux ne soit plus défendue.
Vous lui pourrez bientôt prodiguer vos bontés,
Et vos embrassements ne seront plus comptés,
Quel plaisir d'élever un enfant qu'on voit craître,
Non plus comme un esclave élevé pour son maître,   1070
Mais pour voir avec lui renaître tant de rois !

ANDROMAQUE.

Céphise, allons le voir pour la dernière fois.

CÉPHISE.

Que dites-vous ? ô Dieux !

ANDROMAQUE.

                    O ma chère Céphise,
Ce n'est point avec toi que mon cœur se déguise.
Ta foi, dans mon malheur, s'est montrée à mes yeux ;   1075
Mais j'ai cru qu'à mon tour tu me connaissais mieux.
Quoi donc ? as-tu pensé qu'Andromaque infidèle
Pût trahir un époux qui croit revivre en elle ;
Et que de tant de morts réveillant la douleur,
Le soin de mon repos me fît troubler le leur ?   1080
Est-ce là cette ardeur tant promise à sa cendre ?
Mais son fils périssait : il l'a fallu défendre,
Pyrrhus en m'épousant s'en déclare l'appui ;
Il suffit : je veux bien m'en reposer sur lui.
Je sais quel est Pyrrhus. Violent, mais sincère,   1085
Céphise, il fera plus qu'il n'a promis de faire.

5
4

Sur le courroux des Grecs je m'en repose encor :
Leur haine va donner un père au fils d'Hector.
Je vais donc, puisqu'il faut que je me sacrifie,
Assurer à Pyrrhus le reste de ma vie ;　　　　　　1090
Je vais, en recevant sa foi sur les autels,
L'engager à mon fils par des nœuds immortels,
Mais aussitôt ma main, à moi seule funeste,
D'une infidèle vie abrégera le reste,
Et sauvant ma vertu, rendra ce que je doi　　　　1095
A Pyrrhus, à mon fils, à mon époux, à moi.
Voilà de mon amour l'innocent stratagème ;
Voilà ce qu'un époux m'a commandé lui-même.
J'irai seule rejoindre Hector et mes aïeux.
Céphise, c'est à toi de me fermer les yeux.　　　　1100

CÉPHISE.

Ah ! ne prétendez pas que je puisse survivre....

ANDROMAQUE.

Non, non, je te défends, Céphise, de me suivre.
Je confie à tes soins mon unique trésor :
Si tu vivais pour moi, vis pour le fils d'Hector.
De l'espoir des Troyens seule dépositaire,　　　　1105
Songe à combien de rois tu deviens nécessaire.
Veille auprès de Pyrrhus ; fais-lui garder sa foi :
S'il le faut, je consens qu'on lui parle de moi.
Fais-lui valoir l'hymen où je me suis rangée ;
Dis-lui qu'avant ma mort je lui fus engagée,　　　1110
Que ses ressentiments doivent être effacés,
Qu'en lui laissant mon fils, c'est l'estimer assez.

Fais connaître à mon fils les héros de sa race ;
Autant que tu pourras, conduis-le sur leur trace.
Dis-lui par quels exploits leurs noms ont éclaté,   1115
Plutôt ce qu'ils ont fait que ce qu'ils ont été ;
Parle-lui tous les jours des vertus de son père ;
Et quelquefois aussi parle-lui de sa mère.
Mais qu'il ne songe plus, Céphise, à nous venger :
Nous lui laissons un maître, il le doit ménager.   1120
Qu'il ait de ses aïeux un souvenir modeste :
Il est du sang d'Hector, mais il en est le reste ;
Et pour ce reste enfin j'ai moi-même en un jour
Sacrifié mon sang, ma haine et mon amour.

CÉPHISE.

Hélas !

ANDROMAQUE.

          Ne me suis point, si ton cœur en alarmes   1125
Prévoit qu'il ne pourra commander à tes larmes.
On vient.   Cache tes pleurs, Céphise ; et souviens-toi
Que le sort d'Andromaque est commis à ta foi.
C'est Hermione.   Allons, fuyons sa violence.

SCÈNE II

HERMIONE, CLÉONE

CLÉONE.

Non, je ne puis assez admirer ce silence.   1130
Vous vous taisez, Madame ; et ce cruel mépris
N'a pas du moindre trouble agité vos esprits ?

Vous soutenez en paix une si rude attaque,
Vous qu'on voyait frémir au seul nom d'Andromaque ?
Vous qui sans désespoir ne pouviez endurer   1135
Que Pyrrhus d'un regard la voulût honorer ?
Il l'épouse : il lui donne, avec son diadème,
La foi que vous venez de recevoir vous-même,
Et votre bouche encor muette à tant d'ennui
N'a pas daigné s'ouvrir pour se plaindre de lui !   1140
Ah ! que je crains, Madame, un calme si funeste !
Et qu'il vaudrait bien mieux . . .

HERMIONE.

Fais-tu venir Oreste ?

CLÉONE.

Il vient, Madame, il vient ; et vous pouvez juger
Que bientôt à vos pieds il allait se ranger.
Prêt à servir toujours sans espoir de salaire,   1145
Vos yeux ne sont que trop assurés de lui plaire.
Mais il entre.

SCÈNE III

ORESTE, HERMIONE, CLÉONE

ORESTE.

Ah ! Madame, est-il vrai qu'une fois
Oreste en vous cherchant obéisse à vos lois ?
Ne m'a-t-on point flatté d'une fausse espérance ?
Avez-vous en effet souhaité ma présence ?   1150

Croirai-je que vos yeux, à la fin désarmés,
Veulent . . .

HERMIONE.

Je veux savoir, Seigneur, si vous m'aimez.

ORESTE.

Si je vous aime? O Dieux! mes serments, mes parjures,
Ma fuite, mon retour, mes respects, mes injures,
Mon désespoir, mes yeux de pleurs toujours noyés,   1155
Quels témoins croirez-vous, si vous ne les croyez?

HERMIONE.

Vengez-moi, je crois tout.

ORESTE.

                    Hé bien! allons, Madame:
Mettons encore un coup toute la Grèce en flamme;
Prenons, en signalant mon bras et votre nom,
Vous, la place d'Hélène, et moi, d'Agamemnon.   1160
De Troie en ce pays réveillons les misères;
Et qu'on parle de nous, ainsi que de nos pères.
Partons, je suis tout prêt.

HERMIONE.

                    Non, Seigneur, demeurons:
Je ne veux pas si loin porter de tels affronts.
Quoi? de mes ennemis couronnant l'insolence,   1165
J'irais attendre ailleurs une lente vengeance?

Et je m'en remettrais au destin des combats,
Qui peut-être à la fin ne me vengerait pas ?
Je veux qu'à mon départ toute l'Épire pleure.
Mais si vous me vengez, vengez-moi dans une heure.   1170
Tous vos retardements sont pour moi des refus.
Courez au temple.   Il faut immoler . . .

ORESTE.

                              Qui ?

HERMIONE.

                                        Pyrrhus.

ORESTE.

Pyrrhus, Madame ?

HERMIONE.

                  Hé quoi ? votre haine chancelle ?
Ah ! courez, et craignez que je ne vous rappelle.
N'alléguez point des droits que je veux oublier ;   1175
Et ce n'est pas à vous à le justifier.

ORESTE.

Moi, je l'excuserais ?   Ah ! vos bontés, Madame,
Ont gravé trop avant ses crimes dans mon âme.
Vengeons-nous, j'y consens, mais par d'autres chemins.
Soyons ses ennemis, et non ses assassins :   1180
Faisons de sa ruine une juste conquête.
Quoi ? pour réponse, aux Grecs porterai-je sa tête ?
Et n'ai-je pris sur moi le soin de tout l'État
Que pour m'en acquitter par un assassinat ?
Souffrez, au nom des Dieux, que la Grèce s'explique, 1185
Et qu'il meure chargé de la haine publique.
Souvenez-vous qu'il règne, et qu'un front couronné . . .

HERMIONE.

Ne vous suffit-il pas que je l'ai condamné ?
Ne vous suffit-il pas que ma gloire offensée
Demande une victime à moi seule adressée ;   1190
Qu'Hermione est le prix d'un tyran opprimé ;
Que je le hais ; enfin, Seigneur, que je l'aimai ?
Je ne m'en cache point : l'ingrat m'avait su plaire,
Soit qu'ainsi l'ordonnât mon amour ou mon père,
N'importe ; mais enfin réglez-vous là-dessus.   1195
Malgré mes vœux, Seigneur, honteusement déçus,
Malgré la juste horreur que son crime me donne,
Tant qu'il vivra, craignez que je ne lui pardonne.
Doutez jusqu'à sa mort d'un courroux incertain :
S'il ne meurt aujourd'hui, je puis l'aimer demain.   1200

ORESTE.

Hé bien ! il faut le perdre, et prévenir sa grâce ;
Il faut..Mais cependant que faut-il que je fasse ?
Comment puis-je sitôt servir votre courroux ?
Quel chemin jusqu'à lui peut conduire mes coups ?
A peine suis-je encore arrivé dans l'Épire,   1205
Vous voulez par mes mains renverser un empire ;
Vous voulez qu'un roi meure, et pour son châtiment
Vous ne donnez qu'un jour, qu'une heure, qu'un moment.
Aux yeux de tout son peuple il faut que je l'opprime !
Laissez-moi vers l'autel conduire ma victime,   1210
Je ne m'en défends plus ; et je ne veux qu'aller
Reconnaître la place où je dois l'immoler.
Cette nuit je vous sers, cette nuit je l'attaque.

HERMIONE.

Mais cependant ce jour il épouse Andromaque.
Dans le temple déjà le trône est élevé ;   1215
Ma honte est confirmée, et son crime achevé.
Enfin qu'attendez-vous ?   Il vous offre sa tête :
Sans gardes, sans défense, il marche à cette fête ;
Autour du fils d'Hector il les fait tous ranger ;
Il s'abandonne au bras qui me voudra venger.   1220
Voulez-vous, malgré lui, prendre soin de sa vie ?
Armez, avec vos Grecs, tous ceux qui m'ont suivie ;
Soulevez vos amis : tous les miens sont à vous.
Il me trahit, vous trompe et nous méprise tous.
Mais quoi ? déjà leur haine est égale à la mienne :   1225
Elle épargne à regret l'époux d'une Troyenne.
Parlez : mon ennemi ne vous peut échapper,
Ou plutôt il ne faut que les laisser frapper.
Conduisez ou suivez une fureur si belle ;
Revenez tout couvert du sang de l'infidèle ;   1230
Allez : en cet état soyez sûr de mon cœur.

ORESTE.

Mais, Madame, songez....

HERMIONE.

                    Ah ! c'en est trop, Seigneur.
Tant de raisonnements offensent ma colère.
J'ai voulu vous donner les moyens de me plaire,
Rendre Oreste content ; mais enfin je vois bien   1235
Qu'il veut toujours se plaindre, et ne mériter rien.

Partez : allez ailleurs vanter votre constance,
Et me laissez ici le soin de ma vengeance.
De mes lâches bontés mon courage est confus,
Et c'est trop en un jour essuyer de refus.   1240
Je m'en vais seule au temple, où leur hymen s'apprête,
Où vous n'osez aller mériter ma conquête.
Là, de mon ennemi je saurai m'approcher :
Je percerai le cœur que je n'ai pu toucher ;
Et mes sanglantes mains, sur moi-même tournées,   1245
Aussitôt, malgré lui, joindront nos destinées ;
Et tout ingrat qu'il est, il me sera plus doux
De mourir avec lui que de vivre avec vous.

ORESTE.

Non, je vous priverai de ce plaisir funeste,
Madame : il ne mourra que de la main d'Oreste.   1250
Vos ennemis par moi vont vous être immolés,
Et vous reconnaîtrez mes soins, si vous voulez.

HERMIONE.

Allez.   De votre sort laissez-moi la conduite,
Et que tous vos vaisseaux soient prêts pour notre fuite.

SCÈNE IV

HERMIONE, CLÉONE

CLÉONE.

Vous vous perdez, madame ; et vous devez songer.... 1255

HERMIONE.

Que je me perde ou non, je songe à me venger.
Je ne sais même encor, quoi qu'il m'ait pu promettre,
Sur d'autres que sur moi si je dois m'en remettre.
Pyrrhus n'est pas coupable à ses yeux comme aux miens,
Et je tiendrais mes coups bien plus sûrs que les siens. 1260
Quel plaisir de venger moi-même mon injure,
De retirer mon bras teint du sang du parjure,
Et pour rendre sa peine et mes plaisirs plus grands,
De cacher ma rivale à ses regards mourants !
Ah ! si du moins Oreste, en punissant son crime,   1265
Lui laissait le regret de mourir ma victime !
Va le trouver : dis-lui qu'il apprenne à l'ingrat
Qu'on l'immole à ma haine, et non pas à l'État.
Chère Cléone, cours.   Ma vengeance est perdue
S'il ignore en mourant que c'est moi qui le tue.   1270

CLÉONE.

Je vous obéirai.   Mais qu'est-ce que je voi ?
O Dieux !   Qui l'aurait cru, Madame ?   C'est le Roi !

HERMIONE.

Ah ! cours après Oreste ; et dis-lui, ma Cléone,
Qu'il n'entreprenne rien sans revoir Hermione.

SCÈNE V

PYRRHUS, HERMIONE, PHŒNIX

PYRRHUS.

Vous ne m'attendiez pas, Madame ; et je vois bien   1275
Que mon abord ici trouble votre entretien.
Je ne viens point, armé d'un indigne artifice,
D'un voile d'équité couvrir mon injustice :
Il suffit que mon cœur me condamne tout bas ;
Et je soutiendrais mal ce que je ne crois pas.   1280
J'épouse une Troyenne.   Oui, Madame, et j'avoue
Que je vous ai promis la foi que je lui voue.
Un autre vous dirait que dans les champs troyens
Nos deux pères sans nous formèrent ces liens,
Et que sans consulter ni mon choix ni le vôtre,   1285
Nous fûmes sans amour engagés l'un à l'autre ;
Mais c'est assez pour moi que je me sois soumis.
Par mes ambassadeurs mon cœur vous fut promis ;
Loin de les révoquer, je voulus y souscrire.
Je vous vis avec eux arriver en Épire ;   1290
Et quoique d'un autre œil l'éclat victorieux
Eût déjà prévenu le pouvoir de vos yeux,
Je ne m'arrêtai point à cette ardeur nouvelle :
Je voulus m'obstiner à vous être fidèle,
Je vous reçus en reine ; et jusques à ce jour   1295
J'ai cru que mes serments me tiendraient lieu d'amour.
Mais cet amour l'emporte, et par un coup funeste
Andromaque m'arrache un cœur qu'elle déteste.

L'un par l'autre entraînés, nous courons à l'autel
Nous jurer, malgré nous, un amour immortel.   1300
Après cela, Madame, éclatez contre un traître,
Qui l'est avec douleur, et qui pourtant veut l'être.
Pour moi, loin de contraindre un si juste courroux,
Il me soulagera peut-être autant que vous.
Donnez-moi tous les noms destinés aux parjures :   1305
Je crains votre silence, et non pas vos injures ;
Et mon cœur, soulevant mille secrets témoins,
M'en dira d'autant plus que vous m'en direz moins.

HERMIONE.

Seigneur, dans cet aveu dépouillé d'artifice,
J'aime à voir que du moins vous vous rendiez justice,   1310
Et que voulant bien rompre un nœud si solennel,
Vous vous abandonniez au crime en criminel.
Est-il juste, après tout, qu'un conquérant s'abaisse
Sous la servile loi de garder sa promesse ?
Non, non, la perfidie a de quoi vous tenter ;   1315
Et vous ne me cherchez que pour vous en vanter.
Quoi ? sans que ni serment ni devoir vous retienne,
Rechercher une Grecque, amant d'une Troyenne ?
Me quitter, me reprendre, et retourner encor
De la fille d'Hélène à la veuve d'Hector ?   1320
Couronner tour à tour l'esclave et la princesse ;
Immoler Troie aux Grecs, au fils d'Hector la Grèce ?
Tout cela part d'un cœur toujours maître de soi,
D'un héros qui n'est point esclave de sa foi.
Pour plaire à votre épouse, il vous faudrait peut-être   1325
Prodiguer les doux noms de parjure et de traître.

Vous veniez de mon front observer la pâleur,
Pour aller dans ses bras rire de ma douleur.
Pleurante après son char vous voulez qu'on me voie ;
Mais, Seigneur, en un jour ce serait trop de joie ;   1330
Et sans chercher ailleurs des titres empruntés,
Ne vous suffit-il pas de ceux que vous portez ?
Du vieux père d'Hector la valeur abattue
Aux pieds de sa famille expirante à sa vue,
Tandis que dans son sein votre bras enfoncé   1335
Cherche un reste de sang que l'âge avait glacé ;
Dans des ruisseaux de sang Troie ardente plongée ;
De votre propre main Polyxène égorgée
Aux yeux de tous les Grecs indignés contre vous :
Que peut-on refuser à ces généreux coups ?   1340

PYRRHUS.

Madame, je sais trop à quels excès de rage
La vengeance d'Hélène emporta mon courage :
Je puis me plaindre à vous du sang que j'ai versé ;
Mais enfin je consens d'oublier le passé.
Je rends grâces au ciel que votre indifférence   1345
De mes heureux soupirs m'apprenne l'innocence.
Mon cœur, je le vois bien, trop prompt à se gêner,
Devait mieux vous connaître et mieux s'examiner.
Mes remords vous faisaient une injure mortelle ;
Il faut se croire aimé pour se croire infidèle.   1350
Vous ne prétendiez point m'arrêter dans vos fers :
J'ai craint de vous trahir, peut-être je vous sers.
Nos cœurs n'étaient point faits dépendants l'un de l'autre ;
Je suivais mon devoir, et vous cédiez au vôtre.
Rien ne vous engageait à m'aimer en effet.   1355

HERMIONE.

Je ne t'ai point aimé, cruel ?   Qu'ai-je donc fait ?
J'ai dédaigné pour toi les vœux de tous nos princes :
Je t'ai cherché moi-même au fond de tes provinces ;
J'y suis encor, malgré tes infidélités,
Et malgré tous mes Grecs honteux de mes bontés.   1360
Je leur ai commandé de cacher mon injure ;
J'attendais en secret le retour d'un parjure ;
J'ai cru que tôt ou tard, à ton devoir rendu,
Tu me rapporterais un cœur qui m'était dû.
Je t'aimais inconstant, qu'aurais-je fait fidèle ?   1365
Et même en ce moment où ta bouche cruelle
Vient si tranquillement m'annoncer le trépas,
Ingrat, je doute encor si je ne t'aime pas.
Mais, Seigneur, s'il le faut, si le ciel en colère
Réserve à d'autres yeux la gloire de vous plaire,   1370
Achevez votre hymen, j'y consens.   Mais du moins
Ne forcez pas mes yeux d'en être les témoins.
Pour la dernière fois je vous parle peut-être :
Différez-le d'un jour : demain vous serez maître.
Vous ne répondez point ?   Perfide, je le voi,   1375
Tu comptes les moments que tu perds avec moi !
Ton cœur, impatient de revoir ta Troyenne,
Ne souffre qu'à regret qu'un autre t'entretienne.
Tu lui parles du cœur, tu la cherches des yeux.
Je ne te retiens plus, sauve-toi de ces lieux :   1380
Va lui jurer la foi que tu m'avais jurée,
Va profaner des Dieux la majesté sacrée.
Ces Dieux, ces justes Dieux n'auront pas oublié
Que les mêmes serments avec moi t'ont lié.

Porte aux pieds des autels ce cœur qui m'abandonne ; 1385
Va, cours.   Mais crains encor d'y trouver Hermione.

SCÈNE VI

PYRRHUS, PHŒNIX

PHŒNIX.

Seigneur, vous entendez.   Gardez de négliger
Une amante en fureur qui cherche à se venger.
Elle n'est en ces lieux que trop bien appuyée :
La querelle des Grecs à la sienne est liée ;   1390
Oreste l'aime encore ; et peut-être à ce prix . . .

PYRRHUS.

Andromaque m'attend.   Phœnix, garde son fils.

ACTE V

SCÈNE PREMIÈRE

HERMIONE, seule.

Où suis-je ?   Qu'ai-je fait ?   Que dois-je faire encore ?
Quel transport me saisit ?   Quel chagrin me dévore ?
Errante, et sans dessein, je cours dans ce palais.   1395
Ah ! ne puis-je savoir si j'aime, ou si je hais ?
Le cruel ! de quel œil il m'a congédiée !
Sans pitié, sans douleur, au moins étudiée.
L'ai-je vu se troubler et me plaindre un moment ?
En ai-je pu tirer un seul gémissement ?   1400
Muet à mes soupirs, tranquille à mes alarmes,
Semblait-il seulement qu'il eût part à mes larmes ?
Et je le plains encore ?   Et pour comble d'ennui,
Mon cœur, mon lâche cœur s'intéresse pour lui ?
Je tremble au seul penser du coup qui le menace ?   1405
Et prête à me venger, je lui fais déjà grâce ?
Non, ne révoquons point l'arrêt de mon courroux :
Qu'il périsse !   Aussi bien il ne vit plus pour nous.
Le perfide triomphe, et se rit de ma rage :
Il pense voir en pleurs dissiper cet orage ;   1410
Il croit que toujours faible et d'un cœur incertain,
Je parerai d'un bras les coups de l'autre main.

Il juge encor de moi par mes bontés passées.
Mais plutôt le perfide a bien d'autres pensées.
Triomphant dans le temple, il ne s'informe pas   1415
Si l'on souhaite ailleurs sa vie ou son trépas.
Il me laisse, l'ingrat ! cet embarras funeste.
Non, non, encore un coup ; laissons agir Oreste.
Qu'il meure, puisqu'enfin il a dû le prévoir,
Et puisqu'il m'a forcée enfin à le vouloir.   1420
A le vouloir ? Hé quoi ? c'est donc moi qui l'ordonne ?
Sa mort sera l'effet de l'amour d'Hermione ?
Ce prince, dont mon cœur se faisait autrefois
Avec tant de plaisir redire les exploits,
A qui même en secret je m'étais destinée   1425
Avant qu'on eût conclu ce fatal hyménée,
Je n'ai donc traversé tant de mers, tant d'États,
Que pour venir si loin préparer son trépas ?
L'assassiner, le perdre ? Ah ! devant qu'il expire

SCÈNE II

HERMIONE, CLÉONE

HERMIONE.

Ah ! qu'ai-je fait, Cléone ? et que viens-tu me dire ?   1430
Que fait Pyrrhus ?

CLÉONE.

                Il est au comble de ses vœux,
Le plus fier des mortels, et le plus amoureux.
Je l'ai vu vers le temple, où son hymen s'apprête,
Mener en conquérant sa nouvelle conquête ;

6

Et d'un œil où brillaient sa joie et son espoir   1435
S'enivrer en marchant du plaisir de la voir.
Andromaque, au travers de mille cris de joie,
Porte jusqu'aux autels le souvenir de Troie :
Incapable toujours d'aimer et de haïr,
Sans joie et sans murmure elle semble obéir.   1440

HERMIONE.

Et l'ingrat ? jusqu'au bout il a poussé l'outrage ?
Mais as-tu bien, Cléone, observé son visage ?
Goûte-t-il des plaisirs tranquilles et parfaits ?
N'a-t-il point détourné ses yeux vers le palais ?
Dis-moi, ne t'es-tu point présentée à sa vue ?   1445
L'ingrat a-t-il rougi lorsqu'il t'a reconnue ?
Son trouble avouait-il son infidélité ?
A-t-il jusqu'à la fin soutenu sa fierté ?

CLÉONE.

Madame, il ne voit rien.   Son salut et sa gloire
Semblent être avec vous sortis de sa mémoire.   1450
Sans songer qui le suit, ennemis ou sujets,
Il poursuit seulement ses amoureux projets.
Autour du fils d'Hector il a rangé sa garde,
Et croit que c'est lui seul que le péril regarde.
Phœnix même en répond, qui l'a conduit exprès   1455
Dans un fort éloigné du temple et du palais.
Voilà, dans ses transports, le seul soin qui lui reste.

HERMIONE.

Le perfide !   Il mourra.   Mais que t'a dit Oreste ?

CLÉONE.

Oreste avec ses Grecs dans le temple est entré.

HERMIONE.

Hé bien! à me venger n'est-il pas préparé ?   1460

CLÉONE.

Je ne sais.

HERMIONE.

      Tu ne sais ?   Quoi donc ?   Oreste encore,
Oreste me trahit ?

CLÉONE.

        Oreste vous adore.
Mais de mille remords son esprit combattu
Croit tantôt son amour et tantôt sa vertu.
Il respecte en Pyrrhus l'honneur du diadème ;   1465
Il respecte en Pyrrhus Achille, et Pyrrhus même ;
Il craint la Grèce, il craint l'univers en courroux ;
Mais il se craint, dit-il, soi-même plus que tous.
Il voudrait en vainqueur vous apporter sa tête :
Le seul nom d'assassin l'épouvante et l'arrête.   1470
Enfin il est entré sans savoir dans son cœur
S'il en devait sortir coupable ou spectateur.

HERMIONE.

Non, non, il les verra triompher sans obstacle :
Il se gardera bien de troubler ce spectacle.
Je sais de quels remords son courage est atteint :   1475
Le lâche craint la mort, et c'est tout ce qu'il craint.

Quoi ? sans qu'elle employât une seule prière,
Ma mère en sa faveur arma la Grèce entière ?
Ses yeux pour leur querelle, en dix ans de combats,
Virent périr vingt rois qu'ils ne connaissaient pas ?   1480
Et moi, je ne prétends que la mort d'un parjure,
Et je charge un amant du soin de mon injure ;
Il peut me conquérir à ce prix sans danger ;
Je me livre moi-même, et ne puis me venger ?
Allons : c'est à moi seule à me rendre justice.   1485
Que de cris de douleur le temple retentisse ;
De leur hymen fatal troublons l'événement,
Et qu'ils ne soient unis, s'il se peut, qu'un moment.
Je ne choisirai point dans ce désordre extrême :
Tout me sera Pyrrhus, fût-ce Oreste lui-même.   1490
Je mourrai ; mais au moins ma mort me vengera.
Je ne mourrai pas seule, et quelqu'un me suivra.

SCÈNE III

ORESTE, HERMIONE, CLÉONE

ORESTE.

Madame, c'en est fait, et vous êtes servie :
Pyrrhus rend à l'autel son infidèle vie.

HERMIONE.

Il est mort ?

ORESTE.

          Il expire ; et nos Grecs irrités   1495
Ont lavé dans son sang ses infidélités.

Je vous l'avais promis; et quoique mon courage
Se fît de ce complot une funeste image,
J'ai couru vers le temple, où nos Grecs dispersés
Se sont jusqu'à l'autel dans la foule glissés.   1500
Pyrrhus m'a reconnu.   Mais sans changer de face,
Il semblait que ma vue excitât son audace,
Que tous les Grecs, bravés en leur ambassadeur,
Dussent de son hymen relever la splendeur.
Enfin avec transport prenant son diadème,   1505
Sur le front d'Andromaque il l'a posé lui-même.
« Je vous donne, a-t-il dit, ma couronne et ma foi;
Andromaque, régnez sur l'Épire et sur moi.
Je voue à votre fils une amitié de père;
J'en atteste les Dieux, je le jure à sa mère.   1510
Pour tous mes ennemis je déclare les siens,
Et je le reconnais pour le roi des Troyens.»
A ces mots, qui du peuple attiraient le suffrage,
Nos Grecs n'ont répondu que par un cri de rage;
L'infidèle s'est vu partout envelopper,   1515
Et je n'ai pu trouver de place pour frapper.
Chacun se disputait la gloire de l'abattre.
Je l'ai vu dans leurs mains quelque temps se débattre,
Tout sanglant à leurs coups vouloir se dérober;
Mais enfin à l'autel il est allé tomber.   1520
Du peuple épouvanté j'ai traversé la presse
Pour venir de ces lieux enlever ma princesse,
Et regagner le port, où bientôt nos amis
Viendront couverts du sang que je vous ai promis.

                        HERMIONE.

Qu'ont-ils fait?

ORESTE.

Pardonnez à leur impatience :   1525
Ils ont, je le vois bien, trahi votre vengeance.
Vous vouliez que ma main portât les premiers coups,
Qu'il sentît en mourant qu'il expirait pour vous ;
Mais c'est moi dont l'ardeur leur a servi d'exemple :
Je les ai pour vous seule entraînés dans le temple,   1530
Madame ; et vous pouvez justement vous flatter
D'une mort que leurs bras n'ont fait qu'exécuter.
Vous seule avez poussé les coups . . .

HERMIONE.

                                Tais-toi, perfide,
Et n'impute qu'à toi ton lâche parricide.
Va faire chez tes Grecs admirer ta fureur :   1535
Va, je la désavoue, et tu me fais horreur.
Barbare, qu'as-tu fait ?   Avec quelle furie
As-tu tranché le cours d'une si belle vie ?
Avez-vous pu, cruels, l'immoler aujourd'hui,
Sans que tout votre sang se soulevât pour lui ?   1540
Mais parle : de son sort qui t'a rendu l'arbitre ?
Pourquoi l'assassiner ?   Qu'a-t-il fait ?   A quel titre ?
Qui te l'a dit ?

ORESTE.

                O Dieux ?   Quoi ? ne m'avez-vous pas
Vous-même, ici, tantôt, ordonné son trépas ?

HERMIONE.

Ah ! fallait-il en croire une amante insensée ?   1545
Ne devais-tu pas lire au fond de ma pensée ?

Et ne voyais-tu pas, dans mes emportements,
Que mon cœur démentait ma bouche à tous moments ?
Quand je l'aurais voulu, fallait-il y souscrire ?
N'as-tu pas dû cent fois te le faire redire ?   1550
Toi-même avant le coup me venir consulter,
Y revenir encore, ou plutôt m'éviter ?
Que ne me laissais-tu le soin de ma vengeance ?
Qui t'amène en des lieux où l'on fuit ta présence ?
Voilà de ton amour le détestable fruit :   1555
Tu m'apportais, cruel, le malheur qui te suit.
C'est toi dont l'ambassade, à tous les deux fatale,
L'a fait pour son malheur pencher vers ma rivale.
Nous le verrions encor nous partager ses soins ;
Il m'aimerait peut-être, il le feindrait du moins.   1560
Adieu.   Tu peux partir.   Je demeure en Épire ;
Je renonce à la Grèce, à Sparte, à son empire,
A toute ma famille ; et c'est assez pour moi,
Traître, qu'elle ait produit un monstre comme toi.

SCÈNE IV.

ORESTE, seul.

Que vois-je ? est-ce Hermione ? Et que viens-je d'entendre ?
Pour qui coule le sang que je viens de répandre ?
Je suis, si je l'en crois, un traître, un assassin.
Est-ce Pyrrhus qui meurt ? et suis-je Oreste enfin ?
Quoi ? j'étouffe en mon cœur la raison qui m'éclaire ;
J'assassine à regret un roi que je révère ;   1570
Je viole en un jour les droits des souverains,
Ceux des ambassadeurs, et tous ceux des humains,

Ceux même des autels où ma fureur l'assiége :
Je deviens parricide, assassin, sacrilége.
Pour qui ?   Pour une ingrate, à qui je le promets,   1575
Qui même, s'il ne meurt, ne me verra jamais,
Dont j'épouse la rage.   Et quand je l'ai servie,
Elle me redemande et son sang et sa vie !
Elle l'aime ! et je suis un monstre furieux !
Je la vois pour jamais s'éloigner de mes yeux !   1580
Et l'ingrate, en fuyant, me laisse pour salaire
Tous les noms odieux que j'ai pris pour lui plaire !

SCÈNE V

ORESTE, PYLADE, Soldats d'Oreste

PYLADE.

Il faut partir, Seigneur.   Sortons de ce palais,
Ou bien résolvons-nous de n'en sortir jamais.
Nos Grecs pour un moment en défendent la porte.   1585
Tout le peuple assemblé nous poursuit à main forte.
Aux ordres d'Andromaque ici tout est soumis ;
Ils la traitent en reine, et nous comme ennemis.
Andromaque elle-même, à Pyrrhus si rebelle,
Lui rend tous les devoirs d'une veuve fidèle,   1590
Commande qu'on le venge, et peut-être sur nous
Veut venger Troie encore et son premier époux.
Allons.   N'attendons pas que l'on nous environne :
Nos Grecs nous rejoindront ; et tandis qu'Hermione
Tient encore le peuple autour d'elle arrêté,   1595
Voilà votre chemin, sortons en sûreté.

. ORESTE.

Non, non, c'est Hermione, amis, que je veux suivre.
A son dernier arrêt je ne puis plus survivre.
Partez : j'ai fait le crime, et je vais l'expier.

PYLADE.

Hermione, Seigneur ? Il la faut oublier.   1600
Quoi ? toujours l'instrument et l'objet de sa rage,
Cherchez-vous chez les morts quelque nouvel outrage ?
Et parce qu'elle meurt, faut-il que vous mouriez ?

ORESTE.

Elle meurt ?   Dieux ! qu'entends-je ?

PYLADE.

                    Hé quoi ? vous l'ignoriez ?
En rentrant dans ces lieux, nous l'avons rencontrée   1605
Qui courait vers le temple, inquiète, égarée.
Elle a trouvé Pyrrhus porté sur des soldats
Que son sang excitait à venger son trépas.
Sans doute à cet objet sa rage s'est émue.
Mais du haut de la porte enfin nous l'avons vue,   1610
Un poignard à la main, sur Pyrrhus se courber,
Lever les yeux au ciel, se frapper et tomber.

ORESTE.

Grâce aux Dieux ! Mon malheur passe mon espérance.
Oui, je te loue, ô ciel, de ta persévérance.

Appliqué sans relâche au soin de me punir,   1615
Au comble des douleurs tu m'as fait parvenir.
Ta haine a pris plaisir à former ma misère ;
J'étais né pour servir d'exemple à ta colère,
Pour être du malheur un modèle accompli.
Hé bien ! je meurs content, et mon sort est rempli.   1620
Où sont ces deux amants ?   Pour couronner ma joie,
Dans leur sang, dans le mien il faut que je me noie ;
L'un et l'autre en mourant je les veux regarder.
Réunissons trois cœurs qui n'ont pu s'accorder.
Mais quelle épaisse nuit tout à coup m'environne ?   1625
De quel côté sortir ?   D'où vient que je frissonne ?
Quelle horreur me saisit ?   Grâce au ciel, j'entrevoi.
Dieux ! quels ruisseaux de sang coulent autour de moi !

PYLADE.

Ah ! Seigneur.

ORESTE.

              Quoi ?   Pyrrhus, je te rencontre encore ?
Trouverai-je partout un rival que j'abhorre ?   1630
Percé de tant de coups, comment t'es-tu sauvé ?
Tiens, tiens, voilà le coup que je t'ai réservé.
Mais que vois-je ?   A mes yeux Hermione l'embrasse ?
Elle vient l'arracher au coup qui le menace ?
Dieux ! quels affreux regards elle jette sur moi !   1635
Quels démons, quels serpents traîne-t-elle après soi ?
Hé bien ! filles d'enfer, vos mains sont-elles prêtes ?
Pour qui sont ces serpents qui sifflent sur vos têtes !
A qui destinez-vous l'appareil qui vous suit ?
Venez-vous m'enlever dans l'éternelle nuit ?   1640

Venez, à vos fureurs Oreste s'abandonne.
Mais non, retirez-vous, laissez faire Hermione :
L'ingrate mieux que vous saura me déchirer ;
Et je lui porte enfin mon cœur à dévorer.

PYLADE.

Il perd le sentiment.   Amis, le temps nous presse :   1645
Ménageons les moments que ce transport nous laisse.
Sauvons-le.   Nos efforts deviendraient impuissants
S'il reprenait ici sa rage avec ses sens.

NOTES

NOTES

Page 1. — 1. **Madame,** i. e. Henrietta-Anna (1644–1670), daughter of Charles I. of England and Henrietta-Maria of France, and since 1661 first Duchess of Orleans, a most estimable, charming, and cultured woman, whose virtues are commemorated in the dedication to Molière's *École des Femmes*, and in the most eloquent of the funeral orations of Bossuet.

Page 2. — 1. **règles,** i. e. of dramatic composition. See Introduction, page xiv.

Page 3. — 1. The lines cited are from Virgil's *Eneid*, v. 292–332: "We were coasting along Epirus and entered a port of Chaonium and ascended to the lofty city of Buthrotum. It happened that day that Andromache was bearing to the ashes of Hector solemn libations and sad offerings. She summoned the Manes at the empty tomb on the verdant mound that she had consecrated with two altars, an occasion for tears. She bent her head and said in a low voice : 'Happy among all was the virgin daughter of Priam (i. e. Polyxena) destined to die on the pyre of an enemy beneath the lofty walls of Troy. She underwent not the insult of the casting of lots nor, a captive, decked the bed of a conqueror, her master. I, leaving my country in flames, borne over distant seas, have brought forth in slavery and have suffered the pride of the son of Achilles, Pyrrhus, this haughty young chief, who then becoming attached to Hermione, allied himself to the Spartan blood, to the race of Leda. . . . But behold how in ardent passion for a woman of whom he is bereft, pursued by the Furies of crime, Orestes surprises him and slays him beside the paternal altars.' "

Page 4. — 1. **Euripide,** *Euripides* (480–406 B. C.), Greek tragic poet.

2. On the faithfulness to tradition of Racine's drama, see Introduction, pages x–xii.

3. **mœurs,** *behavior*, *conduct*. Cp. Latin *mores*.

4. **Céladon,** an affected lover in Urfé's novel, *Astrée*, which exercised a great influence on the social life of Racine's day. It was in great measure the immediate source of the Euphuistic diction that is made the subject of Molière's satire in *les Précieuses ridicules*. Euphuism reached its highest development in the novels of Madeleine de Scudéry, but is by no means absent from *Andromaque*, as these notes will show. The French call those who cultivated this affected diction *Précieux*.

5. **parfait amour,** ironical use of a favorite expression in the current novels of Racine's day.

6. **chagrin,** *dissatisfaction* here.

7. **Horace** (*Art of Poetry*, 121), describes Achilles as *impiger, iracundus, inexorabilis, acer*, paraphrased here by *farouche, inexorable, violent*.

8. **Aristote,** *Aristotle*, in his Poetics, 13.

Page 7. — 1. **Ronsard** (1524-1585) a noted French poet. His unfinished *Franciade*, an epic on the origin of the French, is one of his least successful works.

2. **chroniques.** For instance, *The Chronicles of Saint-Denis*, and those of Nicholas Gilles. Strabo (13, under *Scepsis*) and Dionysius of Halicarnassus both preserve a tradition of the survival of Astyanax.

3. **créance,** *belief, opinion*.

4. **Hérodote,** *Herodotus* (about 445 B. C.), ii. 113-115.

5. **Homère,** *Homer, Iliad*, xxi. 167.

6. **Sophocle,** *Sophocles* (495-405), *Œdipus the King*, 1224 sqq.

7. **Euripide,** *Euripides, Phœnician Women*, 1456-1460.

8. **commentateur.** Camerarius (about 1603) is meant, whose note to *Electra*, 540-542, is here freely adapted.

Page 10. — 1. **Acteurs.** Render *Andromaque*, Andromache, *Oreste*, Orestes, *Pylade*, Pylades.

2. **Épire,** *Epirus* (kingdom in northwestern Greece); **Buthrote,** *Buthrotum* (a city in Epirus, opposite the island of Corcyra).

ACT I. SCENE I.

1. **Oui.** With this word Racine begins *Iphigénie, Athalie* and acts of other plays also. **ami si fidèle.** The mother of Pylades was the sister of Orestes's father, Agamemnon. They had been friends from boyhood and had co-operated in killing Clytemnæstra and in an at-

tempted robbery of a temple in Tauris.   Later Pylades married Orestes's sister Electra.   It is said that this and the following lines were recited by the French poet André Chénier and his companion Roucher on their way to execution during the Reign of Terror, July 25, 1794.

2. **fortune,** i. e., the goddess of my destiny.   Personification.

4. **rejoindre,** *unite* here.

5. **l'.**   Racine often uses the pronoun to prepare the hearer for a long object clause, which here embraces all from *qu'un rivage* to *rendu.*
funeste.   Buthrotum is *baleful* or *fatal* to Orestes because he wishes to marry Hermione who has come hither to marry Pyrrhus.

9. **m'arrêtant,** i. e., in Epirus.

10. **fermé le chemin de,** *barred the return to.*

12. **écarta,** *separated* here. **aux yeux de,** *in sight of* here.   The figurative use of *yeux* is almost a mannerism with Racine, and may be noted constantly in this play.   Cf. for instance, 124, 315–317, 557, 568, 1032, 1151.

14. **vos.**   Pylades uses the plural of respect to Orestes who addresses him in the singular.   See Introduction, page xii.

16. **triste,** *sad,* because absent.

17. **mélancolie,** not "melancholy," but *gloom,* "atrabilious humor," a veiled allusion to that madness that had befallen Orestes as a vengeance of the Furies for the slaying of his mother, Clytemnæstra.

19. **cruel secours.**   An oxymoron.   His death would have been a relief to Orestes, but a cruel grief to Pylades.

23. **pompeux appareil,** *magnificent train* or "state," as ambassador of the princes of Greece.   Cp. 1639.

25. **Hélas.**   The *s,* now usually pronounced was silent in Racine's day.

26. **inhumaine.**   This is the first of many words and phrases in *Andromaque,* borrowed from the French Euphuists (*Précieux*).   See 109 and page 4, note 4.   Racine assumes that Orestes's love for Hermione had been constant while she had first encouraged (536) and then discouraged (500) him.

27. **qu'il doit,** i. e., *what love may.*

29. **en,** *like a.*

30. That is, relies on her love for your self-preservation.   **lui** refers to *amour,* which is usually feminine in Old French and in Racine (e. g. 462) who in this follows Vaugelas.

31. **charme,** *spell,* witchcraft.

32. **dans ses fers,** *under her influence.* Euphuistic.

33. à **Sparte,** *when at Sparta,* the chief city of the Peleponnesus. It is contrary to tradition that Hermione had refused to marry Orestes before she was pledged to Pyrrhus.

35. **poussé tant de vœux.** Euphuistic. Say, *ashamed of such a vain and prolonged courtship.*

36. **vous l'abhorriez,** i. e., I thought that you, etc.

40. **flamme** and **soupirs.** Euphuistic. Say, *love* and *longing.*

41. **Ménélas,** *Menelaus,* father of Hermione.

42. **vengeur,** i. e., by the destruction of Troy in vengeance for the abduction of Menelaus' wife, Helen, mother of Hermione. Cp. Euripides, *Andromache,* 948-963.

44. **chaîne,** i. e., the love that bound Orestes to Hermione. **ennuis,** *woes,* here. Cp. 376 and 1139.

45-48. That is, Such being the sad condition of things I was sorry that you saved me from destruction by your escort. Prose would require *prêt de* before **suivre. interrompre** and **sauver** depend on **vis.** Cp. 755. **déplorable,** *pitiable.* Often used of persons in Racine.

49. **parmi tant d'alarmes,** *while I was undergoing such restless torments.*

50. That is, tried to win him by coquetry.

53. **victoire,** i. e., over my love.

55. **Détestant,** *Cursing.* Cp. the Latin *detestari.*

58. **dans,** for modern *en,* as often. Conversely **en** for *dans,* 70.

59. **d'abord,** *at the very first,* on my landing.

62. **mémoire,** *mind.* Cp. Latin *memor,* "mindful of," rather than "remembering."

63. **mes sens reprenant,** *as my mind seemed to be recovering.*

65. That is, Marvel at the destiny whose persecution, etc. **admire.** Cp. 1130 and Latin *admirari.*

67. Pyrrhus, with silent *s* for the rhyme. See 888.

72. **reste,** *remnant.* On the survival of Astyanax, see Introduction, page x. Note the hiatus in **Troie ensevelie. Troie,** *Troy.* See any Classical Dictionary. **ensevelie,** *buried,* is no longer used figuratively.

73. **son enfance,** i. e., him. Metonymy. **supplice,** *death.*

74. **ingénieux Ulysse,** *shrewd Ulysses.*

75, 76. This story is told also of Hannibal's infancy.

80. **négligé,** *postponed,* but he really complains of the postponement. This Latinism is quite common in Racine. Cp. 1191.

86. This translates Eneid, iv. 23 : " I recognize the traces of the old flame." Corneille has the same sentiment (Sertorius, 263–264). Cp. Gray, Elegy : " Still in our ashes live their wonted fires."

89. Note the change in tense. **brigue le suffrage,** *solicit the choice.*

93, 94. That is, The ardor of my love is such that I shall rejoice to fail in my mission, for then I can rescue from Epirus the insulted and deserted Hermione. This explains the attitude of Orestes in Scene II.

98. Note the fatalism here as in 482, 640, 1200, 1299, and cp. Introduction, page xiv.

107. **sa conquête,** i. e., Hermione's love for Pyrrhus. **que,** *as though.*

108. **feux,** *love.* Euphuistic.

109. **inhumaine,** *austere* here. Euphuistic. See 26.

111. **lui,** i. e., Pyrrhus.

113. **tête,** *life.* Euphuistic.

114. That is, He frightens Andromache in order that he may reassure her.

116. **ses lois,** i. e., Andromache's influence. Euphuistic.

117. **troublés,** *anxious,* rather than "rejected."

119. **attendez,** for *attendez-vous à.* Cp. 655 and 833.

120. **lui,** itself.

121. **désordre,** *agitation,* or *perturbation.*

122. **punir,** i. e., punish Andromache by killing Astyanax. **ce qu',** for *celle que.*

124. **charmes.** Racine first wrote *yeux,* so that Hermione saw her eyes with her eye. Cp. 12.

127. **fléchir sa rigueur,** *make her pride bend.*

128. **la.** Note, once for all, that in this and similar constructions the pronominal object may precede either the finite verb or the infinitive. Vaugelas commends the latter usage, and Racine follows him in *Andromaque* rather more than half the time, seventy cases to fifty.

131. **partir,** i. e., return to Sparta.

135. **lui.** Where two imperatives are connected by *et* or *ou* the pronominal object will precede the second of them. Cp. 1238.

137. This construction in which the subject of **accorder,** Pyrrhus, must be gathered from **sa** (139), is bold and questionable. Cp. 649 and 1303.

138. **irriter,** *spur* or *rouse.* Cp. 427.

7

ACT I. SCENE II.

143. Seneca, *Troas*, 527, 528, makes Ulysses claim to be "the voice of all the Greeks and the leaders" in demanding the death of Astyanax.

147. That is, As we admire the exploits of Achilles so we, etc.

150. **le fils seul**, *none but the son.*

151. **ce qu'**. Say, *There is one thing that.*

152. **sang**, *race.* **relever**, *make restoration for*, relieve.

153. **funeste**, *baneful* here. A favorite word with Racine.

154. **reste**, *survivors.*

155. **quel**, *what manner of man.* Latin, *qualis.* Cp. 1085.

156. **affaiblis**, i. e., by his slaughter among them. **encor** for *encore* as often in poetry to aid the rhyme or the meter. Cp. 182, 688, and 1295.

159. **fils**, i. e., the still unnamed Astyanax.

161. Seneca, *Troas*, 530–534 and 551–552, has the same thought but with wholly differing expression.

163, 164. Cp. 842 and *Iliad*. xv., xvi., but note that Hector did not pursue the Greeks into the sea, as here implied.

166–168. **craignez** governs both a noun and a clause, a construction now disapproved but used several times in other plays by Racine. The allusion in 167, 168 is to the familiar fable of the countryman who warmed a viper in his bosom.

172. That is, He will learn by betraying you how to war with them. Pyrrhus in his answer shows an ironical confidence.

175. That is, basing my opinion on the dignity and repute of their envoy.

176. **conçu**, *anticipated.*

180. Seneca, *Troas*, 753, makes Andromache taunt Ulysses as "a mighty infanticide." **daigné**, "condescended to be willing," as the Dictionary of the Academy defines it.

181. **à qui**, *to whose right.*

182. **encor**, for *encore.* Cp. 156.

183. The construction is similar to 137. **seul** refers to **m'**. In like manner an adjective, participle or clause is found referring to a subsequent noun or pronoun in 291, 301, 689, 833, 1059–1060, 1079–1080, 1145–1146.

184. *Iliad*, i. 121–129, relates the anger of Achilles, Pyrrhus's father, at a like provocation regarding his captive Briseïs. **ordonner d'un**, i. e., *ordonner du sort d'un.*

189. **Hecube,** *Hecuba,* wife of Priam. See any Classical Dictionary.
misère, *miserable life.*

190. **Cassandre,** *Cassandra,* Hecuba's daughter. See Euripides,
Trojan Women, 239. **dans,** for modern *à.* Cp. 58.

193. Cp. Seneca, *Troas,* 549, 550: " The future Hector greatly troubles
the Greeks. Free us from this fear; " and Euripides, *Trojan Women,*
1156–1158: " Why fear and slay that child? Are you afraid he may
raise up overturned Troy? "

195. **soin,** *anxiety* here, but cp. 310 (*interests*), 767, (*skill*), and, 805
(*effort*). Note the irony.

196. **loin.** Temporal, as rarely to-day.

203, 204. Seneca, *Troas,* 738–41: " Is this a person to raise up the
burned and ruined city? Shall these hands rebuild Troy? If Troy
has hope only in him, it has no hope. Our fall has not been such that
any need fear our rise."

208. **fallait.** Imperfect indicative as in Latin when we should use a
conditional. *Pouvoir* and *devoir* are similarly construed.

210. That is: They allege their weakness as a reason for sparing
them.

211, 212. Seneca, *Troas,* 277–279: " The royal anger, the raging foe,
the nocturnal victory are not to be restrained."

212. **confondaient nos coups,** *made us strike promiscuous blows.*

214. **survive.** Subjunctive. Do you expect that, etc. Cp. also 216
and 217.

215. **saisir.** Translate by the passive participle.

222. The story is probably an invention of Racine, though it might
be supported by Strabo and Dionysius. Cp. Introduction, page x. and
Seconde Préface, page 6.

224. **Ce n'est.** Modern usage would prefer: *Ce ne sont.*

227. **elle,** i. e., the anger. **expirer,** *be extinguished.*

228. **il,** i. e., Astyanax.

229. **Prévenez-les,** anticipate them by killing Astyanax. Cp. 1201.

231. **confondent,** *misguide.* Cp. 212.

233–235. Alludes to the whole story of the Iliad, how Achilles, when
his captive was taken from him by Agamemnon, withdrew in anger
from the fight, permitting the Greeks to be for a time defeated by
Hector.

234. **Dont,** *with which.*

243. **accorder,** *reconcile.*

244. **soins,** *interests.* Cp. 195.

246. Hermione and Orestes were first cousins, but Pyrrhus knew of their love. Cp. 617–620. Note the irony.

ACT I. SCENE III.

249. **maîtresse,** *beloved,* but not necessarily returning the passion. The word belongs to the artificial speech and social relations of the time which mask an ingrained contempt and mistrust of women under a smirking pretence of gallantry.

250. **brûlé pour,** *loved.* Euphuistic.

252. **en,** *by her.* Often used of persons in Racine.

256. **Qu' . . . de,** *How much.*

ACT I. SCENE IV.

260. **passais,** *was about to go.* **lieux.** Plural by Euphuistic affectation.

261. **le jour.** Modern usage prefers *par jour.*

264. **d',** i. e., "from the beginning of." Say : *since* yesterday. Note that this opening line gives the key-note to her whole rôle.

276. **intérêt,** *affection* for him. Cp. 195 and 870.

278. The suppressed condition "if he lived" explains the irregular sequence of tenses. For similar use of the subjunctive for the future or conditional, cp. 403 and 987.

279. Iliad, vi. 429, makes Andromache say to Hector : "You are to me now father and loving mother; you alone to me brother and blooming husband."

280. Achilles had killed Andromache's father, Aëtion (Iliad, vi. 414) and her husband, Hector (Iliad, xxii) ; Pyrrhus had killed her father-in-law, Priam (Eneid, ii. 553).

289. **parmi,** i. e., *while I was involved in.*

291. **Haï** refers to **me.** Cp. 183.

292. Note the euphuism and the sentimental use of **cruautés.**

299. That is : Let the motive be as noble as the act, not dictated by an amorous fancy. This appeal to magnanimity may well have been suggested by Corneille's *Pertharite*, 667–674.

301. That is : While I am, etc. Note the change from first to third person in 302, and cp. 183.

308. **salut,** *safety.*

309. That is: The nobility of so magnanimous an action should commend it to you though I should refuse my consent.

310. **soins,** cp. 195.

315-322. The thought is borrowed from Heliodorus, a decadent Greek novelist, in whose *Æthiopica* (x. 17), a father, when about to immolate his daughter on a burning pyre, remarks that "passion burns his heart with yet more ardent flame." This was a favorite novel of Racine's youth, and he profited by its example usually to his injury. To boast of his carnage among her relatives and to assure her that her eyes have inflicted equal wounds on him is not the language of a hero of any race or age, but a hot-house product of the literary salons of the *Grand Siècle.* 320 is surely to modern readers the least admirable line in this play.

323. **tour à tour,** *mutually.*

331. **pris** shows that *Ilion* is masculine here. Grammars usually give it as feminine.

336. **Sacrés,** because built by Apollo and Poseidon. *sacré* usually precedes its noun in Racine.

336-340. Seneca, *Troas,* 468-475, makes Andromache say : " Will the time ever come when, conqueror and restorer of thy country, thou shalt rebuild and re-establish Pergama. . . . But I consider my destiny. These ambitious hopes frighten me. To live suffices for the conquered. Alas, what place will seem secure to my fears ? Where hide thee?" Cp. also for 336, *Eneid,* ii. 291-292 : " If a human arm could have defended Pergama, mine would have defended it."

343. **gênez,** *torture,* as usual in Racine. Cp. 1347.

345. **vœux,** *love.* Euphuistic.

348. **fers,** both of material captivity and of love. Cp. 345 and 32.

354. **y,** *to her.* Often used of persons in Racine. Cp. *en,* 252. Note the insipid gallantry here.

358. That is : Does she owe her love, like me, to a dead husband ? **flamme,** cp. 40.

362. That is : Famous through deeds that cause my tears.

365. **mes vœux,** i. e., *I,* by a metonymy common in Racine as in the Euphuists generally. Cp. *amour,* 381 ; *charmes,* 450; *cœur,* 457, etc. See also 345. **leur.** Say : *of my passion.*

366. That is : I have allowed my passion to go so far that if you will not accept my love you must await my hate. The verse is clumsy.

371. The menace here suggests Corneille, *Pertharite*, 727.

372. **gloire,** used here in the Corneillian sense, *pride*, rather than "glory." It implies the full development of the individuality, to allow free scope to which is the supreme duty of heroic minds. But since *gloire* is opposed to normal morality it may naturally deviate into crime, and is therefore a moral state peculiarly suited to tragedy.

376. **avancera,** *will hasten.* **ennuis.** Cp. 44.

377, 378. Seneca, *Troas*, 416-419: "I should have already snatched myself from the Greeks and followed my spouse, but this child restrained me. It is he who masters my heart and forbids me to die ... He has prolonged my misery."

381. **en le voyant.** Since the subject of the main clause is not *vous* but *amour*, modern usage would demand *quand vous le verrez*, here. Cp. 1112.

ACT II. SCENE I.

385. We must suppose that Pylades, complying with the request of 141, has procured an interview with Hermione for Orestes to whom **il** (385), **lui** (386), **ses** (387), and **le** (388) refer.

388. **en croyais,** *trusted my own judgment.*

389. **funeste,** *inauspicious,* here.

392. **regrettiez,** *used to miss.*

394. **rude,** *disagreeable.*

401. **indignes,** *unnecessary,* not "unworthy."

403. **vienne,** subjunctive because contrary to fact. Cp. *ait*, 526.

406. **retardements,** *delays.* Obsolete in this sense. Cp. 1171.

411. **prévinssiez,** *forestall.* Cp. 230, 1201.

413. **Si,** (*You ask*) *if.* **gloire,** cp. 372.

415. **Lui.** Emphatic nominative.

419. **m'assurer,** *summon my courage,* "arm myself."

420. **en,** i. e., Pyrrhus. Cp. 252 and 422.

427. **irriter.** Cp. 138.

431. **en son dépit,** *in its contempt for him.*

434. **conquête,** i. e., Andromache.

436. This line suggests Corneille, *Sertorius*, 267-270.

439. **lois.** Euphuistic. Cp. 116.

441. **Demeurons,** i. e., in Epirus. **fortune,** *happiness.*

443. **si solennel,** i. e., as his plighted troth.

448. **bien** shows that Hermione would prefer that Pyrrhus should cause the ruin of Andromache rather than Andromache that of Pyrrhus.

451. **déplaisirs.** Euphuistic. Cp. 81.

453. **en,** i. e., by the "sighs," that is, the love of Pyrrhus.

456. **l',** i. e., Pyrrhus, the "lover who pleases."

459. **moment de rigueur,** *passing coldness of bearing.* The metaphor is mixed.

462. **amour.** Feminine, here. Cp. 30.

463. **qu',** *with which,* as often in Racine's time for a relative governed by a preposition, as well as for *où* and *dont.* Cp. 864.

464. **pour lui,** i. e., to make me love him.

468. **feux.** Cp. 108.

472. **sensible,** *sensitive,* capable of resentment toward Pyrrhus and of gratitude to Orestes. A favorite word with the Euphuists.

476. Note Hermione's fright at the realization of her passionate wish.

ACT II. SCENE II.

479. **seul devoir,** *courtesy alone.* **ne . . . que** is pleonastic.

482. **destin.** Note the fatalism. Cp. 98.

486. **parjures,** because he had sworn never to revisit her. Cp. 1153.

489. **perte,** *death.*

490. **dégageait mes serments,** *might relieve me from my oaths.* Indicative because the fatal result seemed so certain. Cp. 641 and 611.

491–494. These lines allude to the adventures of Orestes in Tauris, but do not accord with the tradition.

494. That is : became reluctant to shed my blood.

496. **fuit,** *is escaping me.* Note the affectation throughout this speech, and cp. 315–322 for similar *funeste langage* (505).

500. **une fois,** *once more.*

505. **funeste,** in its original sense. Say : "this talk *about death.*"

509. **transports,** *outbursts of passion.*

511. That is: perform the functions you undertook as envoy. In 512, **dégagé** is used slightly differently. He says he *is freed* from performing duties from which Hermione would have him *free himself* by performing them.

512. **puissance,** i. e., Andromache.

522. **reléguée,** *sent.* Hermione thus implies that her betrothal to Pyrrhus was without her desire, if not against her will. In fact she

never ceases to love him. She pretends affection for Orestes to make him the tool of her vengeance, for which she had already often desired his presence (391). He falls an easy victim to her unscrupulous passion.

526. **ait.** Cp. 403.

531. **vos,** for modern *les,* as often in Racine.

533, 534. Note the Euphuistic affectation. The charms of eyes beget love which then teaches them the power of their weapons. Contrast this insipidity with the admirable coquetry of 536.

537. **funeste,** *fatal,* here. Cp. 505.

539. **le destin de,** i. e., that you were.

540. It is probably true that utter hate springs only from deceived love.

541. **contraire,** *different.*

545. **respects . . . amitié,** i. e., of me for you.

546. **m'entendre,** *be persuaded by me.*

547. **disputez . . . pour,** *are arguing in favor of.*

548. That is: Your instinct must tell you that your defence of him is vain, and even if it did not, *he* would tell you so. These words of Orestes add to Hermione's rancor which in 550–554 rises to a venomous hate of Orestes.

557. **yeux.** Euphuistic. Cp. 124. The whole speech is an often cited example of irony.

560. **comme moi,** i. e., as little *as I.*

562. **rebelle,** i. e., for refusing to surrender Astyanax.

565. **cela,** i. e., these suggestions for his ruin.

566. **y,** i. e., to Sparta.

568. Euphuistic. Cp. 124.

570. That is: Even the ruin and death of Pyrrhus would not have satisfied Hermione if he should have first enjoyed her rival's love. She thus almost betrays herself to Orestes.

572. **Phrygienne,** *Phrygian,* contemptuous for "Trojan." Marriage with any other race was a derogation to Greeks of the heroic age.

577–590. In these lines Hermione seeks to disperse the suspicion roused by 570.

578. That is: Your prejudiced soul interpenetrates my words with a jealous suspicion that preys on you and will cause your death.

579. **détour,** *ruse* or *subtlety.*

580. **effort,** *result.*

585. **lui**, i. e., Pyrrhus.
586. **son**, i. e., Menelaus.
587. **du**, *for the*, in favor of the.
589. **le**, i. e., Astyanax.

ACT II. SCENE III.

595. **objet**, i. e., of love. Common Euphuistic locution.
596. **à** for modern *pour*. **l'**, i. e., Hermione.
597. **c'en est fait**, *that's settled*. " My mind is made up." Cp. 741, 911 and 1493.
598. **proie**. This curious designation for a beloved princess recurs in 794. It is Euphuistic in spirit.
604. **attraits**, i. e., of Hermione.

ACT II. SCENE IV.

605. For a king to seek an ambassador was contrary to the etiquette of 1667, but is a concession necessary to preserve the unity of place. See Introduction, page xiv. We must assume that Andromache has not responded to the threats of Pyrrhus, in I. 4, with encouragement to his passion. In his pique he is now ready to comply with the demands of the Greeks, thus reconciling Hermione to him in a moment and adding to the despairing jealousy of Orestes.
610. **A . . . contraire**, *opposed to* the spirit, traditions and policy of, etc.
611. Note the indicative for the conditional, for vividness, as also in 728, 738, 1266. Cp. 490, 641, 987.
615, 616. This false construction (anacoluthon) is used to suggest the confused state of Orestes's mind at this unexpected decision. In his reply, Pyrrhus shows his knowledge of Orestes's love with the most courteous mocking irony. Cp. 246.
624. Note the Euphuism of receiving a heart from a hand.

ACT II. SCENE V.

626. **connaître**, for *reconnaître*. Phœnix betrays a delighted surprise at the king's changed position.
629. **servile**, because Andromache is a captive.
634. **D'**. Cp. 264.
636. **en l'amour**, i. e., in conquering love.

640. Note the fatalism and cp. 98. Pyrrhus feels that had Andromaque encouraged he must have yielded. This is finely expressed in 642.

641. **fondaient.** The indicative marks the certainty of the results.

643. **heureuse cruauté.** Note the oxymoron. Cp. 19.

644. Note how Pyrrhus interrupts Phœnix that he may talk of Andromache. Phœnix comments on this with some bitterness in 664.

646. **dût,** *would surely.*

647. **succès,** *result.* Cp. 1022.

648. **pleurs,** for modern *des pleurs.*

649. **l'aigrit,** *makes her bitter.* For the construction of **farouche,** cp. 137 and 1303. It refers to **sa** (650).

653. *Eneid,* iii. 490 : " Such were his eyes, his hands, his mouth." Cp. also *Troas,* 462 and 465–468.

655. **attend,** for *s'attend à.* Cp. 119 and 833.

656. **amour,** i. e., for Hector, that prevents Andromache from responding to the love of Pyrrhus.

658. **flatte,** *encourages.*

665. **en,** *of her.* Cp. 252 and 664. Ovid, *Remedy of Love* (647–648) says : " You had better be still than say that you love no more. He who declares too often ' I do not love,' loves."

667. **à ses pieds.** Note the strange attitude for a Greek hero. Euphuistic.

668. **reposer,** *rely.* Cp. 30.

670. This line is the counterpart of 570. Both lines have been criticised as inconsistent with the dignity of tragedy, their fault, to such critics, being that they are natural. Perseus, in a Latin satire (v. 168), expressed the same hope of a rejected lover : " Do you think, Davus, that she will weep if I leave her."

673. **charme,** *witchery,* " spell."

677. **à sa vue,** *to her face.* His ingenuous excuses do not deceive himself, much less Phœnix (681).

684. It is Euphuistic to make hearts run after people. We do indeed say : " My heart goes out to a person."

686. **d'autant plus que,** either *so much the more because,* or *so much the more, the more.*

687. That is : How can she dare to act so when she is, etc. **que,** *save only.*

688. **doi.** An *s* may be omitted in the first and occasionally the second person singular present indicative of verbs in *re*, *ir*, and *oir*, for the sake of what is called eye-rhyme. Cp. 803, 1095, 1627.

689. **Etrangère,** refers to *lui* (690). Cp. 183. **dans.** Cp. 58.

697. **se dispose,** *is being prepared*.

700, 701. That is : before promising to surrender Astyanax you should have realized that you were too unstable in mind to execute your design. **tantôt,** i. e., in Scene IV.

703. That is : Can you fear that my anger will not overcome my love when I reflect on the outrageous ingratitude of Andromache.

ACT III. SCENE I.

709. **fureur extrême.** This was the result of his interview with Pyrrhus, ii. 4.

714. **l',** i. e., Hermione.

718. **à voir,** *when they see*.

719. **inquiet,** "restless" in mind, *anxious*. Cp. Latin *inquietus*.

722. This may mean that Hermione depends peculiarly on Pyrrhus because her attitude toward him depends wholly on his toward her, which would be changed should Orestes betray his purpose ; or we may supply *d'* and read "depends especially on Hermione." This would be less regular but **ses,** in 723, certainly refers to her. Note the repetition of **surtout.**

725. **alors,** i. e., after ii. 4.

728. **était,** *would surely have been*. Cp. 611.

732. Cp. 624.

734. **bizarre.** A new word in Racine's day, and more emphatic than now.

738. **dédaignait.** For the mood, cp. 611.

741. **c'en était fait,** *it was all settled*. Cp. 597.

743. **confus,** *wavering*.

748–750. These lines give the key to Hermione's true feelings.

753. **furie,** i. e., woman of uncontrolled passion.

755. **prêt à,** for modern *près de*. Cp. 46.

756–764. That is : She shall be miserable as she has made me miserable. I have had to regret a marriage broken on its eve, and she shall do so also. Note how startlingly the instinct of cruelty that lurks in all passion is here revealed.   Note also the Euphuism in 762 (*inhumaine*, cp. 26), and in 763, 764 where "eyes" are made to call names.

765. **succès.** Cp. 647.

767. That is : What do I care though Greece rejoice at the success of my efforts in her behalf if Hermione rejoices at my disappointment in regard to her. **soins.** Cp. 195.

769. **que,** for *à quoi*.

770. **fable,** *jest.*

772. This line has an ironical notoriety. It is certainly unfortunate in the mouth of a fury-haunted matricide and would-be temple-plunderer.

775. That is : Whatever portion of my life I consider.

776. That is : All my experience of life convicts the gods of injustice. Claudian speaks also of "guilty men in the glory of long prosperity and the good persecuted." In 777, 778 there is a blasphemy of satanic desperation.

781–784. These lines are imitated by Hugo in Marion Delorme (III. vi. 61–69), and in Hernani (III. iv. 45–48, 79–80, 95–103). They were themselves suggested by Euripides, *Iphigenia*, 695, and *Orestes*, 1068–1078.

787. **se fait jour,** *breaks a way.*

794. Cp. 589.

801. **Gardez,** *Take care.*

803. **voi.** Cp. 688.

804. That is : If you will arrange for her abduction I will guarantee my discretion.

ACT III. SCENE II.

805. **soins,** *efforts* with Pyrrhus.

807. **de plus,** *what is more.* She intends this as a contemptuous slur on the depth of his affection for her.

810. **l'.** Cp. 5. She masks her real exultation so that she may still have Orestes to fall back on in case of need.

815. This line may have been suggested by Corneille, *Agesilas*, V. iii. 1.

821. This idea was a commonplace at the Court of Louis XIV., but it is only a pretext here.

824. **relâchais,** *yielded* or *relaxed,* not "overstepped."

825–832. The calm of Orestes is the result of the counsel of Pylades, 800–804.

ACT III. SCENE III.

833. **modeste,** *restrained.* Cp. 655 and 119, for the suppression of the reflexive with **attendais.**

835. **auteur,** *since he is himself the author.*

836. **perdu,** *killed,* here. Cp. 1201, and Latin *perdere.*

839–855. Note how Hermione's love for Pyrrhus magnifies his glory.

842. Cp. 163.

844. That is : Still besieging unconquered Troy.

847. **à son gré,** *as much as he likes.*

848. **d'entretien que,** *any topic save.* Note the triumphant scorn and the egoistic naïveté.

854. **fidèle enfin,** *faithful at last.* Those editions that place the comma after *fidèle* neglect alike the cæsura and the sense.

ACT III. SCENE IV.

860. **pleurante,** for modern *qui pleure,* or at least *pleurant,* but as appears from 1329 and 1334, as well as in other plays, Racine does not distinguish accurately between the present participle and the verbal adjective.

864. That is : the only one for which I cared. Note the Euphuistic affectation that makes **seul** refer in the same line to a figurative and a material heart. Cp. *feux,* 320. **où** for *auquel.* Cp. 463.

866. Eneid, iv. 29, 30 : "My first spouse bore away my love. Let him keep it and guard it in his tomb."

867. Cp. Sophocles, *Thrachinian Women,* 142–143.

870. **son intérêt,** *care for his welfare.* Cp. 276.

872. **qu'** for *lorsque.*

874. **mère,** i. e., Helena who speaks in Iliad, xxiv. 768–772, of Hector's kindness to her.

877. **sa,** i. e., Hector's.

879. That is : Rest assured that his mother will try to restrain him from any dangerous enterprise.

880. Seneca, *Troas,* 747, makes Andromaque say to Ulysses, "Grant him the right to be a slave. Can one deny that to a prince ? "

884. This is the pride, the Greek "hybris," that precedes a fall.

ACT III. SCENE V.

888. **Pyrrhus,** with silent *s* for the rhyme.

ACT III. SCENE VI.

890. **princesse,** i. e., Hermione.

892. This line is an ironical allusion to 888.

894. **marchons sur les pas d',** simply *follow.*

897. **j'ai beau,** *it is of no use for me to.*

903. **tantôt,** i. e., in I. 4. **amitié.** She means, but hesitates to say *amour.*

905. **Sans espoir,** i. e., *Without leaving me any hope.*

907. **Braviez.** Cp. 326–332.

909. **grâce,** *pardon.*

911. **C'en est fait,** *The case is decided,* irrevocably. Cp. 597. **entendiez assez,** *must have understood well enough.*

913, 914. That is: In one of my former illustrious station, such a survival of a pride that fears to be importunate is excusable.

915. **sans vous,** i. e., *were it not for your valor.*

916. Seneca, *Troas,* 689–691, makes Andromache say: "I fall suppliant at thy knees, Ulysses; with this right hand I touch thy feet; till now it has touched the feet of none."

920. **en,** *for it,* i. e., because he owed his life to me.

924. **rejoindre mon époux,** i. e., die.

926. **Auteur,** *Since he is the author.* Cp. 835.

928. Cp. 279.

929–931. Euripides, *Andromaque,* 400–403: "I saw Hector slain and dragged by the chariot of Achilles. I saw deplorable Ilion burn and ascended, a slave, the ships of the Greeks." For details of Hector's death, see *Iliad,* xxii.

932. That is: To save my son I not only consent to live but to be a slave. For to what will not a mother submit?

938. Cp. *Iliad,* xxiv. 468–520.

940. **crédulité,** i. e., unfounded faith in the magnanimity of Pyrrhus.

942. **Malgré lui-même,** i. e., In spite of all he has said and done.

943. **s'il l'était,** *would that he were so.* The optative is more regularly expressed in 945 by **que,** with the subjunctive, which in negations is obligatory.

944. **tombeau,** *monument,* not " tomb." It was the *tumulum inanem* of Eneid, v. 296.

946. **dépouilles,** *mortal remains.* Poetic.

947. Note how Pyrrhus, foreseeing a weakness of which he is ashamed, desires to hide it from Phœnix.

ACT III. SCENE VII.

948. **on,** for *I,* as often for any personal pronoun in Racine's time. Cp. 1416.

949, 950. That is : In causing your tears I have caused my own defeat.

955. **trahir,** i. e., belie by my acts the love I bear you.

957. **convie, demande** (958), **embrasse** (959) are meant for an emphatic crescendo, but the result is too declamatory to be effective.

961. **serments,** i. e., to Hermione and to the Greek chiefs.

966. **bandeau,** *diadem,* properly a fillet of silk or wool.

968. This line may have been suggested by Corneille, *Pertharite,* 759–762.

969. **désespéré d',** *made desperate by.*

976. **perdre,** *slay,* dedicate to destruction. Cp. 836 and 1201.

ACT III. SCENE VIII.

977. **l'.** Cp. 5.

983. That is : Hector himself would advise you to yield.

985. **son fils,** i. e., regard for his son.

986. **mânes,** here, as often in later Roman mythology, for a single spirit, but properly " the spirits of the departed," generally, or all " the righteous spirits."

987. **méprisât,** with **rougissent,** depends on *pensez.* For the tense, see 278. The indicatives **fait** (988), and **foule** (989), emphasize the certainty of the result.

991. **dément,** *disowns.* **superflus,** *of no effect.*

992. **s'il,** i. e., even if Pyrrhus.

993. **privé.** Cp. 930, but note that Hector had a solemn funeral at last. *Iliad,* xxiv. 782–804.

994. **sans honneur,** *dishonorably.* Racine often forms adverbs in this way. For the line, cp. 930, note.

996. *Eneid*, ii. 501, 502: "Priam on the altar, reddening with his blood the ashes of his own sacrifices." Andromache was present at the tragic spectacle as appears from *Eneid*, ii. 515–518. Cp. 1333–1336.

999–1002. *Eneid*, ii. 469–482, 491, 499, and 526–532, taken together, make Pyrrhus the greatest brute known to Virgil. **frères** (1001), Hector's brothers.

1002. **échauffant**, *urging on*.

1011. **ressentiments**, *memories*, not "feelings." **asservis**, *sacrificed*.

1015. **j'irai voir . . . encor**, *I am also to see*.

1018. **que**, *when*, i. e., for *où*. Cp. 463. Note the inversion in **demanda**, modified by **le jour**.

1020–1026. These lines were suggested by *Iliad*, vi. 466–493.

1022. **succès.** Cp. 647.

1028. **aïeux**, *race*, here.

1029. **crime**, *fault* in your eyes. **l'entraîne**, *involve in his death*.

1032. Note the Euphuism of complaining to eyes rather than ears.

1033, 1034. No rhetorical pause separates these lines. Cp. 1211, 1531, and Introduction, page xx.

1035. **l'en**, *it* (i. e., *fer*, 1034) *from it* (i. e., head of Astyanax). **y**, *to it* (*fer*, 1034).

1039. **de mon fils l'amour**, *my maternal love*. Racine often uses *de* with a substantive for an adjective.

1041. **L'amour**, here, *despised love*, "pique."

1043. **foi**, *troth*, promise of marriage. Cp. 1075, 1128, 1138. In the very next line she wavers, saying she has no troth to plight for she is pledged to Hector still.

1046. This line was suggested by Euripides, *Andromache*, 414–415: "O, my son, if thou escape death remember thy mother, what I suffered and how I died." The close of this scene as a whole is to be compared with Corneille, *Cinna*, III. v.

ACT IV. SCENE I.

1050. The result of Andromache's reflections at Hector's tomb (1048), appears in the "innocent stratagem" (1097), that she explains (1077–1100). **miracle**, *marvel*, not "miracle."

1052. **Il**, i. e., Hector.

1055. **Croyez-en ses transports**, *Trust his love for that*, i. e., for restoring Astyanax to her. By marrying Andromache Pyrrhus belies his father (**père**), risks his throne (**sceptre**), and estranges the Greeks (**alliés**).

1057. **sur,** for modern *de.*

1059. **plein.** For the construction, cp. 183.

1061. This is Racine's interpretation of Virgil's *incautum, Eneid,* v. 332, and is essential to the catastrophe as we see from 1218, 1453, and 1514.

1065. **qui,** *what,* not "who," as often in Racine.

1066. That is : You may now see Astyanax when you will, not as formerly (241), once a day ; therefore there is no haste.

1069. **craître,** for *croître.* The change is for the eye-rhyme, like that noted in 688. The sound of *ai* and *oi* was in Racine's day identical in these words.

1071. **renaître,** because had Astyanax died, their memory would have perished. Cp. 1028, and Euripides, *Trojan Women,* 707–713.

1075. **foi,** *trustworthiness,* here. Cp. 1043, 1128 and 1138.

1076. That is ; I thought that, as I had come to know you, so you, in your turn, had come to know me better than to suppose that I could really be false to the memory of Hector.

1078. Cp. 1024.

1079. **réveillant.** For the construction, cp. 183. Andromache means that her marriage would grieve the shades of all those Trojans slain by Pyrrhus.

1081. *Eneid,* iv. 552 : " The troth plighted to the ashes of Sicheus has not been kept."

1083. **en,** *of him,* or *his.* Cp. 252.

1084. **reposer.** For the construction, cp. 30.

1085. **quel,** *what manner of man.* Cp. 155.

1087. **encor,** *besides,* or *also.*

1095. **doi.** Cp. 688.

1100. **à toi de,** for modern *à toi à,* as e. g. in 1176.

1105. **dépositaire,** *guardian,* and thus necessary to the preservation of the Trojan royal line. Cp. 1028 and 1071.

1109. That is : Make him appreciate my sacrifice in this marriage.

1110. **lui,** i. e., Pyrrhus. **engagée,** *attached.*

1112. **laissant.** For the construction, cp. 381.

1116. That is : Let their deeds praise them rather than your words.

1120. **ménager,** *respect,* here.

8

1121. Seneca, *Troas*, 742–744, makes Andromache say : "Should his father fill him with pride? But Hector himself, dragged around Troy, would have laid aside pride, for great woes break it." Cp. also *Troas*, 713 : "Forget your royal ancestry. Act the captive."

1128. **commis**, *confided*, as often in Racine. **foi**, as in 1075.

ACT IV. SCENE II.

1130. **admirer**, *marvel at.* Cp. 65.

1132. **esprits.** The plural for the singular is a slight affectation.

1138. **foi**, *promise.* Cp. 1043.

1139. **encor.** Construe with **daigné** (1140). **ennui.** Cp. 44.

1141. This line repeats the thought of 834, and both suggest Sophocles, *Œdipus the King*, 1062, 1063.

1144. That is : Even had you not summoned him he would have offered his services with no hope of reward (**salaire**, 1145).

1145. **Prêt.** For the construction, cp. 183.

1146. **assurés**, *sure*, not "assured."

ACT IV. SCENE III.

1147–1254. There is a superficial resemblance between this scene and Corneille, *Pertharite*, III. i., but Racine is incomparably superior.

1148. That is : that I come to see you at your request.

1151. Euphuistic. "Disarmed eyes," for "you."

1158. **encore un coup**, *once more.* The phrase has been criticised as familiar.

1159. **signalant**, *glorifying.*

1160. That is : Let us take the place, I of my father, you of your mother.

1161. **reveillons**, *renew*, or *reproduce*, a use now rare.

1171. **retardements**, *pretexts for delay.* Cp. 406.

1172. **Pyrrhus.** Orestes expected her to say Andromache.

1174. Hermione means that her love for Pyrrhus may at any moment prevail over her jealousy, so that she may revoke her order and leave Orestes once more without hope.

1175. **droits**, i. e., those of a king and of an ambassador.

1178. **trop avant**, *too deeply.*

1185. **s'explique**, *declare tself* against him.

1188. Note the indicative of unquestioned assertion in **ai, est** (1191), **aimai, hais** (1192), and cp. 490.

1189. **gloire,** *honor.* Cp. 372.

1191. **opprimé.** For the construction, " slain " for "the slaying of," see 80. For the word, cp. 1209, and Latin *opprimere.*

1193. **ne m'en cache point,** *make no secret of it.*

1194. 1195. That is : It matters not whether it was the result of my love or of my father's command. Recognize it and act accordingly.

1200. Note the fatalism. Cp. 98.

1201. **perdre,** *kill.* Cp. 836. **sa grâce,** *his pardon* by you. **prévenir,** *anticipate.* Cp. 230.

1209. **opprime.** Cp. 1191.

1211. **m'en défends,** *resist.* For the verse, see 1033.

1212. **reconnaître,** *examine.* Now military only, cp. English "reconnoiter."

1214. Hermione means that if Andromache has enjoyed a moment of wedded bliss her vengeance will be forever incomplete.

1216. **confirmée,** *manifest.*

1218. Cp. 1061.

1219. Note the omission of the reflexive after *faire, voir,* and a few other verbs, and cp. 1410.

1226. **Elle,** i. e., the anger of the Greek escort of Orestes.

1231. **en cet état,** i. e., covered with the faithless blood of Pyrrhus.

1233-1248. These lines suggest Corneille, *Cinna,* III. iv. 26, 27, 112, 113, 134-136.

1238. **me.** For the position, see 135.

1239. That is : My heart (**courage** as often) is ashamed of its weak complaisance toward you. I have endured quite too many rebuffs for one day.

1244. Note, with regret, this affected line in a superb speech.

1245. **sanglantes,** *bloody,* not "bleeding."

1252. **reconnaîtrez,** *reward.*

1253. **conduite,** *guidance,* as often in Racine's time.

ACT IV. SCENE IV.

1257. **m'.** For the position, see 128.

1258. **m'en remettre,** *rely.*

1259. **ses,** i. e., of Orestes. So also **siens,** 1260.

1260. **tiendrais**, *should consider*, or *regard*.

1261. **plaisir**, *bliss*. *Plaisir*, like *déplaisir*, 81, 1263, is less emphatic now than in Racine's day.

1266. **laissait**. For the mood, cp. 611.

1270. Du Ryer, a minor dramatist, in his *Themistocles*, printed in 1648, had said : (*il fallait*) *qu'il sût en mourant que c'est moi qui le tue*. This play furnished also 1528. For the sentiment, see Corneille, *Cinna*, I. ii. 101–104.

1271. **voi.** Cp. 688.

ACT IV. SCENE V.

1276. **abord**, *arrival*, the substantive preserving here the meaning of the verb *aborder*.

1279. **tout bas**, *silently*.

1289. **les**, i. e., ambassadors. **revoquer**, *disavow*, here. **y**, i. e., the compact implied in 1288.

1291. **œil**, i. e., Andromache's. See 12, note.

1292. **prévenu**, *forestalled*. Cp. 441.

1293. **m'arrêtai à**, *persisted in*, continued in.

1294. **voulus m'obstiner**, *was obstinately determined*.

1295. **jusques**, for *jusque*, in poetry. Compare *encor* for *encore*, 182.

1297. **coup funeste**, *fatal destiny*.

1299. That is : Pyrrhus impelled by passion, Andromache by maternal fear, will swear at the altar an eternal love against the will of both, for she feels it nobler to be true to Hector, and he to be true to Hermione. Thus passion is felt by Racine to be uncontrollable, fatal, willing against will. Cp. 98.

1303. **loin** now requires *que* and the subjunctive. Cp. 137.

1309. **dépouillé d'artifice**, *frank*. What follows is a model of sarcasm.

1311. Cp. 443.

1318. That is, to woo a Greek even while loving a Trojan.

1323. **maître de soi**. Modern usage prefers *maître de lui*.

1325, 1326. That is : I suppose it would flatter the vanity of your spouse if I called you perjurer and traitor. For the position of **vous**, cp. 128.

1329. **Pleurante** and **expirante**, 1334. For the form, see 860. **après**, for *derrière*.

1333-1336. Cp. 995-1001, and *Troas*, 108-111, where even Agamemnon reproaches Pyrrhus for wanton cruelty : " The great exploit of Pyrrhus is that he beat down with pitiless sword Priam, the suppliant of his father." **valeur abattue, Troie plongée**, and **Polyxène égorgée** (1337, 1338), are Latinisms. For the construction, see 80, and for the story of Polyxena, Euripides, *Hecuba*, 517-566.

1340. Corneille, *Horace*, 1338 : *Ou, si tu n'es pas las de ces généreux coups*, shows the same irony.

1342. **vengeance d'**, *vengeance for* the abduction of.

1343. **vous**, i. e., as Helen's daughter.

1344. **consens d'**, for *consens à*.

1346. **innocence**, i. e., the *innocuousness* to you of my reciprocated love for her.

1347. **gêner**, *torture* or *torment*. Cp. 343.

1348. **devait**, *should have*. For the mood and tense, see 208.

1349. That is : It would wound your dignity to feel that I felt remorse.

1352. Note the ironical slur on her love for Orestes.

1358. **provinces**, *realm*. **au fond**, emphasizes the distance of Epirus from Sparta.

1360. **bontés**, *condescension*.

1361. **injure**, cp. 1261.

1363. **rendu**. Say : *returning*.

1365. **inconstant**, *when you were inconstant*. **fidèle**, *if you had been faithful*. Note the concision.

1367. **trépas**, i. e., a decision that will result in my death.

1369. Cp. 309.

1374. Dido (*Eneid*, iv. 431-434), makes the same plea for delay, but in quite different phrase.

1375. **voi**. For the form, see 688.

1376-1386. These lines suggest Euripides, *Medea*, 621-624 : " You are restless, far from your new betrothed. You regret that you linger outside her dwelling. Marry her ! Perhaps a god shall ratify my words. You will make a marriage that you will wish you had left unmade."

1378. **un autre**, *any thing else*. Not, as some have said, for *une autre*.

1379. That is : In your heart you are ever talking to her, and she is ever before your eyes.

1380. Cp. *Eneid*, iv. 380, 381 : " Nor do I detain you nor recall your promises. Go, follow the Italian breeze."

ACT IV. SCENE VI.

1387. **Gardez.** Cp. 801. **négliger,** *ignore.*

1390. **querelle,** *cause.* Cp. 1479, and Shakspere, II. Henry VI. III. ii. 233 : " Thrice is he armed that hath his quarrel just."

ACT V. SCENE I.

1398. **douleur, au moins étudiée,** *even a feigned regret.*

1399–1402. Cp. *Eneid,* iv. 569, 570 : " Did he sigh at my tears ? Did he avert his eyes ? Had he any pity, overcome by my love ? "

1400. **en,** *from him.* Cp. 252.

1401. **à,** for modern *en face de.*

1402. **part à,** *part in,* or *concern with,* not "sympathy for."

1403, 1404. That is : In spite of all I shrink from executing my vengeance, while to crown my misery I find that I still love him.

1405. **seul,** *mere.* **penser** for *pensée* occasionally in poetry.

1408. **Aussi bien,** equivalent to " In any event."

1410. **dissiper,** *dissolve..* For the omitted reflexive, cp. 1219.

1412. That is : I shall ward off my own blows.

1414. **Mais plutôt,** *But no!*

1416. **on** for *I.* It adds force to his contemptuous indifference to Hermione. Cp. 948.

1417. **embarras funeste,** *dreadful alternative* i. e., between wishing (and obtaining) life or death for Pyrrhus.

1418. **encore un coup.** Cp. 1158.

1419. **le,** i. e., that I would seek vengeance and that Orestes would aid me in it.

1424. **redire.** Cp. 464-470 and 851-854.

1425. The statement is an invention of Racine.

1428. **si loin,** *from such a distance.* Peculiar use.

1429. **devant,** for modern *avant.*

ACT V. SCENE II.

1431. **vœux,** *hopes,* or *desires,* here.

1438. That is : continues to show a dignified melancholy.

1449. **salut,** *regard for his security,* alluding to the absence of Phœnix (1392), and of the guards(1061). **gloire,** *regard for his dignity and honor.* Cp. 372.

1453-1456. See 1061.

1455. **en répond,** *is responsible for* his safety.   The separation of **qui** from its antecedent would now be thought a fault.

1457. **soin.** Cp. 195.

1463. **de,** for modern *par.*

1464. **croit,** *heeds.* **vertu,** *honor,* here, but not often.

1468. **soi-même,** for *lui-même.*   Cp. 1323.   Orestes fears more than all else the reproaches of conscience (1470).

1472. **en,** i. e., from the temple.

1473. **les,** i. e., Pyrrhus and Andromaque.

1475. **courage,** *heart.* Cp. 1239 and 1497.

1478. **mère,** i. e., Helena.

1479. **querelle.** Cp. 1390.

1481. **prétends,** *seek,* or *claim.*

1482. **injure,** as in 1261 and 1361.

1484. **et,** *and yet.*   This is spoken with desperation.

1485. **à me rendre justice,** *to procure justice for myself,* though strictly construed the words mean, as we see from 1310, "to do justice to myself."

1487. **fatal,** *baleful.*   **événement,** *outcome,* i. e., the closing ceremonies.

1488, 1489. **désordre.** Cp. 121.

1490. That is : I will kill any who may oppose my passion.   Modern usage would prefer *à moi* or *pour moi* to *me.*

ACT V. SCENE III.

1493. **c'en est fait,** *the deed is done.*   Contrast 597 and 741.   **servie,** *obeyed.*

1493, 1494. In the edition of 1668 thirty verses replace this couplet. They introduce Andromache as captive of Orestes.   She rejoices in the safety of Astyanax, and so pities the fate of Pyrrhus that she almost loves him now that he is dead.   These lines greatly weaken the effect of the closing scene of Act IV. and were suppressed in all subsequent editions as they should be in the memory of all readers.   Cp. 1523 and 1564.

1498. That is : shrank from this assassination.

1501. **changer.** For the construction, cp. 137.   **face** is now used in this locution figuratively only.   Cp. 2.

1504. **Dussent,** *Could only* (in his opinion), **relever,** *exalt* or *increase.*

1509. **amitié.** Cp. 903.

1510. This was what Andromache had hoped, 1092.

1511. This means : "I declare all enemies of Astyanax to be mine," but, strictly construed, it does not say so.

1512. **le roi.** Modern usage would omit *le*.

1513. **suffrage,** *assent.* Cp. 89.

1520. Euripides, *Andromache*, 1091-1132, recounts the death of Pyrrhus in prolix detail.

1522. **enlever,** *carry away* or *rescue.*

1523. In the edition of 1668 seven lines replace this one. Their omission was involved in that noted at 1494. In them Orestes admits the safety of Astyanax, states that Greece will demand satisfaction of Epirus and that, to secure it, he will keep Andromache as hostage. It is astonishing that Racine's taste should not have saved him from such an esthetic blunder, but he had the grace to correct it almost as soon as made.

1526. **trahi,** *betrayed,* by anticipating it. Cp. 1250 and 1269, 1270.

1532. Cp. 1033, 1034, note.

1534. **parricide** may be used of any monstrous or unnatural murder ; so in Corneille, *Horace*, 320, the Roman and Alban armies are called *parricides.* Cp. 1574.

1539. **cruels.** Addressed to the soldiers of Orestes' escort, and in the original version to the guards of Andromache.

1542. **titre,** *right.*

1543. This daring disavowal of a crime she had instigated suggests Shakspere, King John, IV. ii. 205-207.

KING.—" Thy hand hath murdered him. I had a mighty cause
    To wish him dead, but thou hadst none to kill him.

HUB.— No had, my Lord, why, did you not provoke me ? " etc.

And so again Shakspere, Richard II. V. vi. 38-40.

  " They love not poison that do poison need,
    Nor do I thee; though I did wish him dead,
    I hate the murderer, love him murdered."

Musset, in *les Marrons du feu*, treats the same situation ironically. Some editors scan this line as romantic, but this is quite unnecessary. See Introduction, page xx.

1544. **tantôt**, i. e., in IV. 3.

1545. **fallait**, **devais** (1546), **fallait** (1549), as **dû** (1550). For the mood, see 208. There is possibly here a distant imitation of *Æthiopica* (Cp. 315, note), i. 14, 15.

1554. **qui.** Neuter. Cp. 1065.

1556. That is : The insanity brought on him by the Furies for his matricide.

1557. **deux**, i. e., Pyrrhus and Hermione.

1559. **nous**, i. e., Hermione and Andromache. There is an unexpressed condition : " If you had not come."

1564. The edition of 1668 adds here four verses, involved by those added at 1494 and 1523, in which Hermione releases Andromache and bids her join with herself in mourning for Pyrrhus and in avenging him.

ACT V. SCENE IV.

1572. **humains**, *mankind*, in poetry only.

1574. **parricide.** Cp. 1534.

1577. **épouse**, *make my own*. As we say " espouse a cause." **servie** cp. 1493.

1581. **salaire.** Cp. 1145.

ACT V. SCENE V.

1584. **Ou bien**, *or else*. **de** for modern *à*.

1586. **à main forte**, *with violence*.

1595. Not, as we see from 1612, because the populace implicate Hermione in the assassination of Pyrrhus, but because she has killed herself.

1603. **parce qu'.** This is said to be the only instance of this commonplace word in all the tragedies of Racine.

1604. Racine uses the same device to announce the death of Bajazet (V. xi).

1606. **inquiète**, *restless*. Far more emphatic then than now. Cp. 321.

1609. **objet**, *spectacle*.

1610. That is : They ascend the palace steps and thence look down on the corpse of Pyrrhus, its bearers and the crazed Hermione.

1613. **espérance**, *expectation*.

1618. **exemple**, *exemplar*, rather than " example."

1625. The madness with which Orestes is now overcome is perhaps to be attributed to the vengeance of the Furies for the ironical blasphemy of 1613–1620.

1627. **entrevoi.** For the spelling, see 688.

1629–1644. To the crazed Orestes, Pyrrhus seems restored to life, but as he seeks to slay once more his rival, Hermione seems to defend her beloved, and Orestes feels himself given over without hope to the Furies and their train of demons and serpents.

1636. **soi** for *elle*. Cp. 1323.

1638. The hissing of the recurrent *s* is a noted case of onomatopœia.

1639. **appareil.** Cp. 23.

1641. Euripides, *Orestes*, 245, sqq., is here followed with wise moderation.

1645. **sentiment,** *consciousness*, here. Orestes now falls senseless (**transport,** 1646), which alone enables Pylades to save him from himself and the Epirotes.

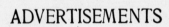

ADVERTISEMENTS

FRENCH GRAMMARS AND READERS.

Bruce's Grammaire Française. $1.12.

Clarke's Subjunctive Mood. An inductive treatise, with exercises. 50 cts.

Edgren's Compendious French Grammar. $1.12. Part I. 35 cts.

Fontaine's Livre de Lecture et de Conversation. 90 cts.

Fraser and Squair's French Grammar. $1.12.

Fraser and Squair's Abridged French Grammar. $1.10.

Fraser and Squair's Elementary French Grammar. 90 cts.

Grandgent's Essentials of French Grammar. $1.00.

Grandgent's Short French Grammar. Help in pronunciation. 75 cts.

Grandgent's Lessons and Exercises. *For Grammar Schools.* 25 and 30 cts.

Hennequin's French Modal Auxiliaries. With exercises. 50 cts.

Houghton's French by Reading. $1.12.

Mansion's First Year French. For young beginners. 50 cts.

Méthode Hénin. 50 cts.

Anecdotes Faciles (Super). For sight reading and conversation. 25 cts.

Bruce's Dicteés Françaises. 30 cts.

Fontaine's Lectures Courantes. $1.00.

Giese's French Anecdotes. 00 cts.

Hotchkiss' Le Primer Livre de Français. Boards. 35 cts.

Bowen's First Scientific Reader. 90 cts.

Davies' Elementary Scientific French Reader. 40 cts.

Lyon and Larpent's Primary French Translation Book. 60 cts.

Snow and Lebon's Easy French. 60 cts.

Super's Preparatory French Reader. 70 cts.

Bouvet's Exercises in Syntax and Composition. 75 cts.

Storr's Hints on French Syntax. With exercises. 30 cts.

Brigham's French Composition. 12 cts.

Comfort's Exercises in French Prose Composition. 30 cts.

Grandgent's French Composition. 50 cts.

Grandgent's Materials for French Composition. Each, 12 cts.

Kimball's Materials for French Composition. Each, 12 cts.

Mansion's Exercises in Composition. 160 pages. 60 cts.

Marcou's French Review Exercises. 25 cts.

Prisoners of the Temple (Guerber). For French Composition. 25 cts.

Story of Cupid and Psyche (Guerber). For French Composition. 18 cts.

Heath's French Dictionary. Retail price, $1.50.

Heath's Modern Language Series.

ELEMENTARY FRENCH TEXTS.

Ségur's Les Malheurs de Sophie (White). Vocabulary. 45 cts.

French Fairy Tales (Joynes). Vocabulary and exercises. 35 cts.

Saintine's Picciola. With notes and vocabulary by Prof. O. B. Super. 45 cts.

Mairêt's La Tâche du Petit Pierre (Super). Vocabulary. 35 cts.

Bruno's Les Enfants Patriotes (Lyon). Vocabulary. 25 cts.

Bruno's Tour de la Francè par deux Enfants (Fontaine). Vocabulary. 45 cts.

Verne's L'Expédition de la Jeune Hardie (Lyon). Vocabulary. 25 cts.

Gervais Un Cas de Conscience (Horsley). Vocabulary. 25 cts.

Génin's Le Petit Tailleur Bouton (Lyon). Vocabulary. 25 cts.

Assolant's Aventure du Célèbre Pierrot (Pain). Vocabulary. 25 cts.

Assolant's Récits de la Vieille France. Notes by E. B. Wauton. 25 cts.

Muller's Grandes Découvertes Modernes. 25 cts.

Récits de Guerre et de Révolution (Minssen). Vocabulary. 25 cts.

Bedollière's La Mère Míchel et son Chat (Lyon). Vocabulary. 25 cts.

Legouvé and Labiche's Cigale chez les Fourmis (Witherby). 20 cts.

Labiche's La Grammaire (Levi). Vocabulary. 25 cts.

Labiche's Le Voyage de M. Perrichon (Wells). Vocabulary. 30 cts.

Labiche's La Poudre aux Yeux (Wells). Vocabulary. 30 cts.

Lemaitre, Contes (Rensch). Vocabulary. oo cts.

Dumas's Duc de Beaufort (Kitchen). Vocabulary. 30 cts.

Dumas's Monte-Cristo (Spiers). Vocabulary. 40 cts.

Berthet's Le Pacte de Famine. With notes by B. B. Dickinson. 25 cts.

Erckmann-Chatrian's Le Conscrit de 1813 (Super). Vocabulary. 45 cts.

Erckmann-Chatrian's L'Histoire d'un Paysan (Lyon). 25 cts.

France's Abeille (Lebon). 25 cts.

Moinaux's Les deux Sourds (Spiers). Vocabulary. 25 cts.

La Main Malheureuse (Guerber). Vocabulary. 25 cts.

Enault's Le Chien du Capitaine (Fontaine). Vocabulary. 35 cts.

Trois Contes Choisis par Daudet (Sanderson). *Le Siège de Berlin, La dernière Classe, La Mule du Pape.* Vocabulary. 20 cts.

Selections for Sight Translation (Bruce). 15 cts.

Laboulaye's Contes Bleus (Fontaine). Vocabulary. 35 cts.

Malot's Sans Famille (Spiers). Vocabulary. 40 cts.

Meilhac and Halévy's L'Été de la St.-Martin (François). Vocab. 25 cts.

Heath's Modern Language Series.

INTERMEDIATE FRENCH TEXTS. (Partial List.)

Beaumarchais's Le Barbier de Seville (Spiers). 25 cts.

Erckmann-Chatrian's Waterloo (Super). 35 cts.

About's Le Roi des Montagnes (Logie). 40 cts.   Vocabulary, 50 cts.

Pailleron's Le Monde où l'on s'ennuie (Pendleton). 30 cts.

Historiettes Modernes (Fontaine). Vol. I. 60 cts.

Historiettes Modernes. Vol. II. 35 cts.

Fleurs de France (Fontaine). 35 cts.

French Lyrics (Bowen). 60 cts.

Loti's Pêcheur d'Islande (Super). 30 cts.

Loti's Ramuntcho (Fontaine). 30 cts.

Sandeau's Mlle. de la Seiglière (Warren). 30 cts.

Souvestre's Le Mari de Mme. Solange (Super). 20 cts.

Souvestre's Les Confessions d'un Ouvrier (Super). 25 cts.

Souvestre's Un Philosophe sous les Toits (Fraser). 50 cts. Vocab., 55 cts.

Augier's Le Gendre de M. Poirier (Wells). 25 cts.

Scribe's Bataille de Dames (Wells). 25 cts.

Scribe's Le Verre d'eau (Eggert). 30 cts.

Merimée's Colomba (Fontaine). 35 cts.   With vocabulary. 45 cts.

Merimée's Chronique du Règne de Charles IX (Desages). 25 cts.

Musset's Pierre et Camille (Super). 20 cts.

Verne's Tour du Monde en quatre vingts jours (Edgren). 35 cts.

Verne's Vingt mille lieues sous la mer (Fontaine). Vocabulary. 45 cts.

Sand's La Mare au Diable (Sumichrast). Vocabulary. 35 cts.

Sand's La Petite Fadette (Super). Vocabulary. 35 cts.

Sept Grands Auteurs du XIXᵉ Siècle (Fortier). Lectures, 60 cts.

Vigny's Cinq-Mars (Sankey). Abridged. 60 cts.

Vigny's Le Cachet Rouge (Fortier). 20 cts.

Vigny's Le Canne de Jonc (Spiers). 40 cts.

Halévy's L'Abbé Constantin (Logie). 30 cts.   Vocab. 40 cts.

Halévy's Un Mariage d'Armour (Hawkins). 00 cts.

Renan's Souvenirs d'Enfance et de Jeunesse (Babbitt). 75 cts.

Thier's Expédition de Bonaparte en Egypte (Fabregou). 30 cts.

Gautier's Jettatura (Schinz). 30 cts.

Guerber's Marie-Louise. 25 cts.

Zola's La Débâcle (Wells). Abridged. 60 cts.

Heath's Modern Language Series.

INTERMEDIATE FRENCH TEXTS. (Partial List.)

Lamartine's Scènes de la Révolution Française (Super). With notes and vocabulary. 40 cents.

Lamartine's Graziella (Warren). 35 cts.

Lamartine's Jeanne d'Arc (Barrère). Vocabulary. 35 cts.

Michelet: Extraits de l'histoire de France (Wright). 30 cts.

Hugo's La Chute. From *Les Misérables* (Huss). Vocabulary. 30 cts.

Hugo's Bug Jargal (Boïelle). 40 cts.

Hugo's Quatre-vingt-treize (Fontaine). Vocabulary. 50 cts.

Champfleury's Le Violon de Faïence (Bévenot). 25 cts.

Gautier's Voyage en Espagne (Steel). 25 cts.

Balzac's Le Curé de Tours (Carter). 25 cts.

Balzac: Cinq Scènes de la Comédie Humaine (Wells). 40 cts.

Contes des Romanciers Naturalistes (Dow and Skinner). With notes and vocabulary. 55 cts.

Daudet's Le Petit Chose (Super). Vocabulary. 40 cts.

Daudet's La Belle-Nivernaise (Boïelle). Vocabulary. 30 cts.

Theuriet's Bigarreau (Fontaine). 25 cts.

Musset: Trois Comédies (McKenzie). 30 cts.

Maupassant: Huit Contes Choisis (White). Vocabulary. 30 cts.

Taine's L'Ancien Régime (Giese). Vocabulary. 65 cts.

Advanced Selections for Sight Translation. Extracts, twenty to fifty lines long, compiled by Mme. T. F. Colin, Wellesley College. 15 cts.

Dumas' La Question d'Argent (Henning). 30 cts.

Lesage's Gil Blas (Sanderson). 40 cts.

Sarcey's Le Siège de Paris (Spiers). Vocabulary, 45 cts.

About's La Mère de la Marquise (Brush). Vocabulary. 40 cts.

Chateaubriand's Atala (Kuhns). Vocabulary. 30 cts.

Erckmann-Chatrian's Le Juif Polonais (Manley). Vocabulary. 30 cts.

Feuillet's Roman d'un jeune homme pauvre (Bruner). Vocab. 55 cts.

Labiche's La Cagnotte (Farnsworth). 25 cts.

La Brète's Mon Oncle et Mon Curé (Colin). Vocabulary. 45 cts.

Dumas' La Tulipe Noire (Fontaine). 40 cts. Vocabulary. 50 cts.

Voltaire's Zadig (Babbitt). Vocabulary. 45 cts.

Heath's Modern Language Series.

ADVANCED FRENCH TEXTS.

Balzac's Le Père Goriot (Sanderson). 80 cts.

Boileau : Selections (Kuhns). 50 cts.

Bossuet : Selections (Warren). 50 cts.

Diderot : Selections (Giese). 50 cts.

Lamartine's Méditations (Curme). 55 cts.

Hugo's Hernani (Matzke). 60 cts.

Hugo's Les Misérables (Super). Abridged. 80 cts.

Hugo's Poems (Schinz). 00 cts.

Hugo's Ruy Blas (Garner). 65 cts.

Racine's Andromaque (Wells). 30 cts.

Racine's Athalie (Eggert). 30 cts.

Racine's Esther (Spiers). 25 cts.

Racine's Les Plaideurs (Wright). 30 cts.

Corneille's Le Cid (Warren). 30 cts.

Corneille's Cinna (Matzke). 30 cts.

Corneille's Horace (Matzke). 30 cts.

Corneille's Polyeucte (Fortier). 30 cts.

Molière's L'Avare (Levi). 35 cts.

Molière's Le Bourgeois Gentilhomme (Warren). 30 cts.

Molière's Le Misanthrope (Eggert). 30 cts.

Molière's Les Femmes Savantes (Fortier). 30 cts.

Molière's Le Tartuffe (Wright). 30 cts.

Molière's Le Médecin Malgré Lui (Gasc). 15 cts.

Molière's Les Précieuses Ridicules (Toy). 25 cts.

Piron's La Métromanie (Delbos). 40 cts.

La Bruyère : Les Caractères (Warren). 50 cts.

Pascal : Selections (Warren). 50 cts.

Lesage's Turcaret (Kerr). 30 cts.

Taine's Introduction à l'Hist. de la Litt. Anglaise. 20 cts.

Duval's Histoire de la Littérature Française. $1.00.

Voltaire's Prose (Cohn and Woodward). $1.00.

French Prose of the XVIIth Century (Warren). $1.00.

La Triade Française. Poems of Lamartine, Musset, and Hugo. 75 cts.

ROMANCE PHILOLOGY.

Introduction to Vulgar Latin (Grandgent). $1.50.

Provençal Phonology and Morphology (Grandgent). $1.50.

GERMAN GRAMMARS AND READERS.

Nix's Erstes deutsches Schulbuch. For primary classes. Illus. 202 pp. 35 cts.

Joynes-Meissner German Grammar. Half leather. $1.12

Joynes's Shorter German Grammar. Part I of the above. 80 cts.

Alternative Exercises. Two sets. Can be used, for the sake of change, instead of those in the *Joynes-Meissner* itself. 54 pages. 15 cts.

Joynes and Wesselhoeft's German Grammar. $1.12.

Harris's German Lessons. Elementary Grammar and Exercises for a short course, or as introductory to advanced grammar. Cloth. 60 cts.

Sheldon's Short German Grammar. For those who want to begin reading as soon as possible, and have had training in some other languages. Cloth. 60c.

Ball's German Grammar. 90 cts.

Ball's German Drill Book. Companion to any grammar. 80 cts.

Spanhoofd's Lehrbuch der deutschen Sprache. Grammar, conversation, and exercises, with vocabularies. $1.00.

Foster's Geschichten und Märchen. For young children. 25 cts.

Guerber's Märchen und Erzählungen, I. With vocabulary and questions in German on the text. Cloth. 162 pages. 60 cts.

Guerber's Märchen und Erzählungen, II. With Vocabulary. Follows the above or serves as independent reader. Cloth. 202 pages. 65 cts.

Joynes's Shorter German Reader. 60 cts.

Deutsch's Colloquial German Reader. 90 cts.

Spanhoofd's Deutsches Lesebuch. 00 cts.

Boisen's German Prose Reader. 90 cts.

Huss's German Reader. 70 cts.

Gore's German Science Reader. 75 cts.

Harris's German Composition. 50 cts.

Wesselhoeft's Exercises. Conversation and composition. 50 cts.

Wesselhoeft's German Composition. 40 cts.

Hatfield's Materials for German Composition. Based on *Immensee* and on *Höher als die Kirche*. Paper. 33 pages. Each, 12 cts.

Horning's Materials for German Composition. Based on *Der Schwiegersohn*. 32 pages. 12 cts. Part II only. 16 pages. 5 cts.

Stüven's Praktische Anfangsgründe. A conversational beginning book with vocabulary and grammatical appendix. Cloth. 203 pages. 70 cts.

Krüger and Smith's Conversation Book. 40 pages. 25 cts.

Meissner's German Conversation. 65 cts.

Deutsches Liederbuch. With music. 164 pages. 75 cts.

Heath's German Dictionary. Retail price, $1.50.

Heath's Modern Language Series.

ELEMENTARY GERMAN TEXTS.

Grimm's Märchen and Schiller's Der Taucher (van der Smissen). With vocabulary. *Märchen* in Roman Type. 45 cts.

Andersen's Märchen (Super). With vocabulary. 50 cts.

Andersen's Bilderbuch ohne Bilder (Bernhardt). Vocabulary. 30 cts.

Campe's Robinson der Jüngere (Ibershoff). Vocabulary. 40 cts.

Leander's Träumereien (van der Smissen). Vocabulary. 40 cts.

Volkmann's Kleine Geschichten (Bernhardt). Vocabulary. 30 cts.

Easy Selections for Sight Translation (Deering). 15 cts.

Storm's Geschichten aus der Tonne (Vogel). Vocabulary. 40 cts.

Storm's In St. Jürgen (Wright). Vocabulary. 30 cts.

Storm's Immensee (Bernhardt). Vocabulary. 30 cts.

Storm's Pole Poppenspäler (Bernhardt). Vocabulary. 40 cts.

Heyse's Niels mit der offenen Hand (Joynes). Vocab. and exercises. 30 cts.

Heyse's L'Arrabbiata (Bernhardt). With vocabulary. 25 cts.

Von Hillern's Höher als die Kirche (Clary). Vocab. and exercises. 30 cts.

Hauff's Der Zwerg Nase. No notes. 15 cts.

Hauff's Das kalte Herz (van der Smissen). Vocab. Roman type. 40 cts.

Ali Baba and the Forty Thieves. No notes. 20 cts.

Schiller's Der Taucher (van der Smissen). Vocabulary. 12 cts.

Schiller's Der Neffe als Onkel (Beresford-Webb). Notes and vocab. 30 cts.

Goethe's Das Märchen (Eggert). Vocabulary. 30 cts.

Baumbach's Waldnovellen (Bernhardt). Six stories. Vocabulary. 35 cts.

Spyri's Rosenresli (Boll). Vocabulary. 25 cts.

Spyri's Moni der Geissbub. With vocabulary by H. A. Guerber. 25 cts.

Zschokke's Der zerbrochene Krug (Joynes). Vocab. and exercises. 25 cts.

Baumbach's Nicotiana (Bernhardt). Vocabulary. 30 cts.

Elz's Er ist nicht eifersüchtig. With vocabulary by Prof. B. Wells. 20 cts.

Carmen Sylva's Aus meinem Königreich (Bernhardt). Vocabulary. 35 cts.

Gerstäcker's Germelshausen (Lewis). Notes and vocabulary. 20 cts.

Wichert's Als Verlobte empfehlen sich (Flom). Vocabulary. 25 cts.

Benedix's Nein (Spanhoofd). Vocabulary and exercises. 25 cts.

Benedix's Der Prozess (Wells). Vocabulary. 20 cts.

Lambert's Alltägliches. Vocabulary and exercises. 75 cts.

Der Weg zum Glück (Bernhardt). Vocabulary. 40 cts.

Mosher's Willkommen in Deutschland. Vocabulary and exercises. 75 cts.

Blüthgen's Das Peterle von Nürnberg (Bernhardt). Vocabulary. 35 cts.

Münchhausen: Reisen und Abenteuer (Schmidt). Vocabulary. 30 cts.

Heath's Modern Language Series.

INTERMEDIATE GERMAN TEXTS. (Partial List.)

Baumbach's Das Habichtsfräulein (Bernhardt). Vocabulary. 40 cts.

Heyse's Hochzeit auf Capri (Bernhardt). Vocabulary. 30 cts.

Hoffmann's Das Gymnasium zu Stolpenburg (Buehner). Two stories. Vocabulary. 35 cts.

Grillparzer's Der arme Spielmann (Howard). Vocabulary. 35 cts.

Seidel: Aus goldenen Tagen (Bernhardt). Vocabulary. 35 cts.

Seidel's Leberecht Hühnchen (Spanhoofd). Vocabulary. 30 cts.

Auf der Sonnenseite (Bernhardt). Vocabulary. 35 cts.

Frommel's Eingeschneit (Bernhardt). Vocabulary. 30 cts.

Keller's Kleider machen Leute (Lambert). Vocabulary. 35 cts.

Liliencron's Anno 1870 (Bernhardt). Vocabulary. 40 cts.

Baumbach's Die Nonna (Bernhardt). Vocabulary. 30 cts.

Riehl's Der Fluch der Schönheit (Thomas). Vocabulary. 30 cts.

Riehl's Das Spielmannskind; Der stumme Ratsherr (Eaton). Vocabulary and exercises. 35 cts.

Ebner-Eschenbach's Die Freiherren von Gemperlein (Hohlfeld). 30 cts.

Freytag's Die Journalisten (Toy). 30 cts. With vocabulary, 40 cts.

Wilbrandt's Das Urteil des Paris (Wirt). 30 cts.

Schiller's Das Lied von der Glocke (Chamberlin). Vocabulary. 20 cts.

Schiller's Jungfrau von Orleans (Wells). Illus. 60 cts. Vocab., 70 cts.

Schiller's Maria Stuart (Rhoades). Illustrated. 60 cts. Vocab., 70 cts.

Schiller's Wilhelm Tell (Deering). Illustrated. 50 cts. Vocab., 70 cts.

Schiller's Ballads (Johnson). 60 cts.

Baumbach's Der Schwiegersohn (Bernhardt). 30 cts. Vocabulary, 40 cts

Arnold's Fritz auf Ferien (Spanhoofd). Vocabulary. 25 cts.

Heyse's Das Mädchen von Treppi (Joynes). Vocab. and exercises. 30 cts

Stille Wasser (Bernhardt). Three tales. Vocabulary. 35 cts.

Sudermann's Teja (Ford). Vocabulary. 25 cts.

Arnold's Aprilwetter (Fossler). Vocabulary. 35 cts

Gerstäcker's Irrfahrten (Sturm). Vocabulary. 45 cts.

Benedix's Plautus und Terenz; Der Sonntagsjäger. Comedies edited by Professor B. W. Wells. 25 cts.

Moser's Köpnickerstrasse 120. A comedy with introduction and notes by Professor Wells. 30 cts.

Moser's Der Bibliothekar. Introduction and notes by Prof. Wells. 30 cts

Drei kleine Lustspiele. *Günstige Vorzeichen, Der Prozess, Einer mus heiraten.* Edited with notes by Prof. B. W. Wells. 30 cts.

Helbig's Komödie auf der Hochschule. With introduction and notes by Professor B. W. Wells. 30 cts.

Heath's Modern Language Series.

INTERMEDIATE GERMAN TEXTS. (Partial List.)

Schiller's Geschichte des dreissigjährigen Kriegs. Book III. With notes by Professor C. W. Prettyman, Dickinson College. 35 cts.

Schiller's Der Geisterseher. Part I. With notes and vocabulary by Professor Joynes, University of South Carolina. 30 cts.

Selections for Sight Translation (Mondan). 15 cts.

Selections for Advanced Sight Translation. Compiled by Rose Chamberlin, Bryn Mawr College. 15 cts.

Aus Herz und Welt. Two stories, with notes by Dr. Wm. Bernhardt. 25 cts.

Novelletten-Bibliothek. Vol. I. Six stories, selected and edited with notes by Dr. Wilhelm Bernhardt. 35 cts.

Novelletten-Bibliothek. Vol. II. Selected and edited as above. 35 cts.

Unter dem Christbaum. Five Christmas stories by Helene Stökl, with notes by Dr. Wilhelm Bernhardt. 35 cts.

Hoffmann's Historische Erzählungen. Four important periods of German history, with notes by Professor Beresford-Webb. 25 cts.

Benedix's Die Hochzeitsreise (Schiefferdecker). 25 cts.

Wildenbruch's Das Edle Blut (Schmidt). Vocabulary. 25 cts.

Wildenbruch's Der Letzte (Schmidt). Vocabulary. 30 cts.

Wildenbruch's Harold (Eggert). 35 cts.

Stifter's Das Haidedorf (Heller). 20 cts.

Chamisso's Peter Schlemihl (Primer). 25 cts.

Eichendorff's Aus dem Leben eines Taugenichts (Osthaus). Vocab. 45 cts.

Heine's Die Harzreise (Vos). Vocabulary. 45 cts.

Jensen's Die braune Erica (Joynes). Vocabulary. 25 cts.

Lyrics and Ballads (Hatfield). 75 cts.

Meyer's Gustav Adolfs Page (Heller). 25 cts.

Sudermann's Johannes (Schmidt). 35 cts.

Sudermann's Der Katzensteg (Wells). Abridged. 40 cts.

Dahn's Sigwalt und Sigridh (Schmidt). 25 cts.

Keller's Romeo und Julia auf dem Dorfe (Adams). 30 cts.

Hauff's Lichtenstein (Vogel). Abridged. 75 cts.

Böhlau Ratsmädelgeschichten (Haevernick). Vocabulary. 40 cts.

Keller's Fähnlein der sieben Aufrechten (Howard). Vocabulary. 40 cts.

Riehl's Burg Neideck (Jonas). Vocabulary and exercises. 35 cts.

Lohmeyer's Geissbub von Engelberg (Bernhardt). Vocabulary. 40 cts.

Zschokke's Das Abenteuer der Neujahrsnacht (Handschin). Vocab. 35 cts.

Zschokke's Das Wirtshaus zu Cransac (Joynes). Vocabulary. 30 cts.

Heath's Modern Language Series.

ADVANCED GERMAN TEXTS.

Scheffel's Trompeter von Säkkingen (Wenckebach). Abridged. 50 cts.

Scheffel's Ekkehard (Wenckebach). Abridged. 55 cts.

Mörike's Mozart auf der Reise nach Prag (Howard). 35 cts.

Freytag's Soll und Haben (Files). Abridged. 55 cts.

Freytag's Aus dem Staat Friedrichs des Grossen (Hagar). 25 cts.

Freytag's Aus dem Jahrhundert des grossen Krieges (Rhoades). 35 cts.

Freytag's Rittmeister von Alt-Rosen (Hatfield). 60 cts.

Fulda's Der Talisman (Prettyman). 35 cts.

Körner's Zriny (Holzwarth). 35 cts.

Lessing's Minna von Barnhelm (Primer). 60 cts. With vocabulary, 65 cts.

Lessing's Nathan der Weise (Primer). 80 cts.

Lessing's Emilia Galotti (Winkler). 60 cts.

Schiller's Wallenstein's Tod (Eggert). 60 cts.

Goethe's Sesenheim (Huss). From *Dichtung und Wahrheit*. 30 cts.

Goethe's Meisterwerke (Bernhardt). $1.25.

Goethe's Dichtung und Wahrheit. (I-IV). Buchheim. 90 cts.

Goethe's Hermann und Dorothea (Hewett). 75 cts.

Goethe's Hermann und Dorothea (Adams). Vocabulary. 65 cts.

Goethe's Iphigenie (Rhoades). 60 cts.

Goethe's Egmont (Hatfield). 60 cts.

Goethe's Torquato Tasso (Thomas). 75 cts.

Goethe's Faust (Thomas). Part I, $1.12. Part II, $1.50.

Goethe's Poems. Selected and edited by Prof. Harris, Adelbert College. 90 cts.

Grillparzer's Der Traum, ein Leben (Meyer). 40 cts.

Ludwig's Zwischen Himmel und Erde (Meyer). 55 cts.

Heine's Poems. Selected and edited by Prof. White. 75 cts.

Tombo's Deutsche Reden. 90 cts.

Walther's Meereskunde. (Scientific German). 55 cts.

Thomas's German Anthology. Part I. $1.25.

Hodges' Scientific German. 75 cts.

Kayser's Die Elektronentheorie (Wright). 20 cts.

Lassar-Cohn's Die Chemie im täglichen Leben (Brooks). 45 cts.

Wagner's Entwicklungslehre (Wright). 30 cts.

Helmholtz's Populäre Vorträge (Shumway). 55 cts.

Wenckebach's Deutsche Literaturgeschichte. Vol. I (to 1100 A.D.) 50 cts.

Wenckebach's Meisterwerke des Mittelalters. $1.26.

Dahn's Ein Kampf um Rom (Wenckebach). Abridged. 55 cts.